रोमांचकारी कथाएँ : किशोर कथा माला

समुद्र-गर्भ की यात्रा

जूले बर्ने की पुस्तक
Twenty Thousand Leagues Under the Sea
का हिन्दी अनुवाद

अनुवादक
आशुतोष त्रिपाठी 'साहित्यरत्न'

संपादन
भारत यायावर

अरुणोदय प्रकाशन

4695, 21-ए, दरियागंज, नई दिल्ली-110002

ISBN : 81-88473-36-7

अरुणोदय प्रकाशन
4695, 21-ए, दरियागंज, नयी दिल्ली-110002
द्वारा प्रकाशित
संस्करण : 2018

मूल्य : ₹295.00

सिटी प्रेस, दिल्ली-110095
द्वारा मुद्रित

1

ईसवी सन् 1866 में एक ऐसी घटना घटी जिससे अमेरिका और योरोप के समुद्री किनारों पर रहने वाले लोगों में भारी खलबली मच गयी। समुद्र के बड़े-बड़े व्यापारी एवं जहाजी इस घटना से काफी घबड़ा गये। जहाजों के कप्तान इस घटना के कारण अपने जहाज भेजने में हिचकिचाने लगे। परिणाम यह हुआ कि बड़े-बड़े राज्यों में इसका भारी असर पड़ा।

दिन रात दुनिया के सभी समुद्रों में निर्भयता से घूमने वाले जहाजी आकर कहानियाँ सुनाने लगे कि समुद्र में एक भारी चमत्कारिक वस्तु दिखाई पड़ती है। अब तक ऐसा विचित्र प्राणी न कहीं देखा गया था न कहीं भी उसके बारे में सुना ही गया था।

विभिन्न समाचार पत्रों में इस सम्बन्ध में तरह-तरह की घटनाएँ प्रकाशित होने लगीं। इन सब बातों के सार रूप एक बात सच प्रतीत होतो थी कि समुद्र में एक विचित्र जानवर जगह-जगह दिखाई पड़ता है, जिसका आकार हथकरघे के शटल के समान है। लम्बाई लगभग 250 से 300 फुट है एवं उसके अन्दर से कभी-कभी बिजली-सा तेज प्रकाश निकलता है। वह तैरता भी खूब तेजी से है।

अखबारों में इस प्रकार के समाचार प्रकाशित होते ही देश के विद्वान् इस सम्बन्ध में अपना दिमाग दौड़ाने लगे। इस प्रकार का प्राणी किसी ने देखा हो, ऐसा सुना भी नहीं गया था। प्राणिशास्त्र के सभी ग्रंथ पलटने पर भी इस प्रकार के प्राणी का वर्णन कहीं पर भी नहीं मिला।

इस खबर के प्रकाशित होते ही अखबारों की बिक्री बढ़ गयी, बेकार लोगों को बात करने का विषय मिल गया, प्रणिशास्त्रियों को अपने ज्ञान की परीक्षा करने का मौका मिला, एवं मछली के शिकारियों के हाथ खुजलाने लगे। देहात के लोग इसे दैवी प्रकोप मानने लगे। परन्तु जिस प्रकार अन्य घटनाओं को लोग धीरे-धीरे भूलने लगते हैं उसी प्रकार यह घटना भी चार-पाँच महीने बाद विस्मृत होने लगी। वह विचित्र जानवर भी दिखाई पड़ना बन्द हो गया।

परन्तु ठीक छः महीने बाद उस प्राणी की बात यकायक फिर चल पड़ी। हुआ यह कि सन् 1867 के मार्च महीने की पाँचवीं तारीख को 'मौरेवियन' नामक एक बड़ा जहाज समुद्र में घूमते-घूमते एक चट्टान से टकरा गया। उस स्टीमर का कप्तान उस जगह से कई बार गुजर चुका था, परन्तु उस जगह पर चट्टान का होना किसी भी नक्शे में दर्ज न था। फिर यह घटना कैसे हुई? प्रभात के समय अकस्मात् जहाज के कप्तान ने बाहर आकर डेक से देखा तो मालूम पड़ा कि लगभग तीन फर्लांग की दूरी पर तेजी से तैरता हुआ एक 'जानवर' जा रहा था। इससे ज्यादा वह कुछ भी न देख सका। यदि जहाज काफी मजबूत न होता तो वह वहीं पर ही समुद्र की तली में पहुँच गया होता।

इस घटना को भी लोग शायद भूल जाते। परन्तु तीसरे सप्ताह ही दूसरी घटना घटी। 'स्कोशिया' नामक एक स्टीमर अटलांटिक महासागर पर मजे से चला जा रहा था। इतने में उसे एक बड़ा धक्का लगा। स्टीमर के सभी व्यक्ति भोजन कर रहे थे। उनके खाने की सभी प्लेटें मेज पर से नीचे गिर गयीं। कुछ देर बाद नीचे से आवाज आयी, "स्टीमर डूब रहा है! स्टीमर डूब रहा है।" कप्तान काफी योग्य व्यक्ति था। उसने नीचे जाकर देखा तो स्टीमर के नीचे के भाग में एक सूराख हो गया था। उस सूराख में से समुद्र का पानी तेजी से घुस रहा था। पानी रोकने के लिये कप्तान ने उपयुक्त कदम उठाये और बड़ी कठिनाई से स्टीमर को गौर से देखा, तो ज्ञात हुआ कि जैसे किसी बड़े बर्मे से 3 फुट परिधि का बड़ा भारी छेद किया गया हो।

अखबार में इस घटना के प्रकाशित होते ही घबड़ाहट फैल गयी। अब तो जिस प्रकार हो सके इस जानवर की खोज करके उसे समाप्त करना ही था। बड़े-बड़े राज्यों को भी इसका महत्व समझ में आने लगा। इस प्राणी से किस प्रकार मुकाबला करना चाहिए इस सम्बन्ध में योजनाएँ बनने लगीं। परन्तु इस काम में अगुआ कौन बने?

जब यह ऊहापोह हो रहा था तब मैं अमेरिका में ही था। प्राणीशास्त्र का अध्ययन करने के लिये मैं नेब्रास्का प्रदेश से काफी घूमकर न्यूयार्क पहुँच गया था। वहाँ से मैं अपने देश फ्रांस जाने की तैयारी कर रहा था। विज्ञानशास्त्री होने के नाते मैं केवल फ्रांस में ही नहीं बल्कि अमेरिका में भी काफी प्रसिद्ध था। जब अखबार वालों को यह ज्ञात हुआ कि मैं न्यूयार्क में हूँ, तब मेरे यहाँ संवाददाताओं का जमघट सा लग गया। इस राक्षसी माया सम्बन्धी सभी घटनाएँ मैं ध्यानपूर्वक सुनता और पढ़ता भी था। मैं भी इस प्रश्न का हल न कर पाया था कि वह कौन सा जानवर होगा। फिर भी मैंने यह घोषणा की, "समुद्र में दिखाई पड़ती हुई वह वस्तु या तो किसी

नयी जाति का भयानक समुद्री जानवर होगा या समुद्र के अन्दर चलनेवाला कोई जहाज (सबमैरीन) होगा। परन्तु यदि इस प्रकार का जहाज किसी भी राज्य सरकार की ओर से या निजी तौर पर बना होता तो उसका हाल अब तक मालूम हो जाता। अब तक समुद्री जानवरों में इस प्रकार की सबसे बड़ी मछली नारह्वेल ही प्रसिद्ध है। इस मछली के तलवार की तरह लंबा सींग होता है और उससे वह बड़ी-बड़ी ह्वेलों को भी चीर देती है। इस प्रकार यह कल्पना की जा सकती है कि इससे भी बड़ी मछली अर्थात् इससे भी दस गुनी अधिक ताकत वाली मछली समुद्र में हो सकती है। यद्यपि इस प्रकार की मछलियाँ समुद्र में बहुत ही कम होंगी, फिर भी ऐसी मछलियाँ हैं ही नहीं—ऐसा विश्वास करने का कोई कारण नहीं है।''

अखबारों में मेरे उपर्युक्त वक्तव्य के प्रकाशित होते ही फिर खलबली मच गयी। अब यह तय हो गया कि निश्चय वह कोई राक्षसी प्राणी है और उसे किसी प्रकार ढूँढ़कर मार डालना बड़े पुण्य का काम है।

दूसरे ही दिन अखबारों में समाचार प्रकाशित हुए कि अमेरिका की सरकार ने 24 घंटे में ही 'अब्राहम लिंकन' नामक जहाज के कप्तान को तैयार होने का हुकुम दे दिया। उस 'प्राणी' के शिकार के लिये प्रस्तुत व्यक्तियों को भी जाने के लिये आदेश दे दिया गया।

स्टीमर छूटने में तीन घंटे की देर थी। मैं अपने कमरे में बैठा हुआ पढ़ रहा था। इतने में मेरे नौकर ने आकर मेरे हाथ में निम्नलिखित पत्र रखा।

प्रिय महोदय,

आप से प्रार्थना है कि अमेरिका के संयुक्त राष्ट्रों द्वारा भेजे हुए स्टीमर की इस महत्वपूर्ण यात्रा में आप भी साथ दें। मुझे आशा है कि समस्त दुनिया को मुसीबत में डालनेवाले उस भयानक प्राणी के विनाश में आप फ्रांस के प्रतिनिधि की हैसियत से सहयोग देंगे। आप अपनी स्वीकृति देंगे ही और इन्कार न करेंगे यह विश्वास करके आपके लिये स्टीमर में एक केबिन सुरक्षित रखी गयी है।

भवदीय

जे.बी. होब्सन

मंत्री, समुद्री विभाग

2

यह निमंत्रण स्वीकार करें या अस्वीकार इस बात के निर्णय के लिये मेरे पास बहुत ही कम समय रह गया था। दो क्षण में मैंने अपना निर्णय कर लिया। "उस भयानक प्राणी को स्वयं देखने का मौका क्यों खोया जाय?" यह सोचकर मैंने जाने का निश्चय कर दिया।

घंटी बजाकर मैंने अपने नौकर को बुलाया। मेरा नौकर कोन्सील बहुत ही विचित्र आदमी था। परन्तु उसकी विचित्रता मुझे इतनी पसन्द थी कि मैंने उसे अपना मित्र बनाया था। वास्तव में वह मेरे लिये मित्र से भी बढ़कर था। बुजुर्ग जिस प्रकार बच्चों का खयाल करते हैं उसी प्रकार मेरी लंबी एवं रसहीन यात्राओं में वह मेरी देखभाल करता था, यद्यपि वह उम्र में मुझसे छोटा था। मेरी किसी भी विचित्र आज्ञा से वह कभी मुँह नहीं मोड़ता था, न कोई आश्चर्य प्रकट करता था। मेरे साथ रहकर उसने भी प्राणी-शास्त्र का बहुत कुछ ज्ञान प्राप्त कर लिया था। परन्तु उसकी एक बड़ी खराब आदत थी। बात करते समय वह मुझे 'हुजूर' अवश्य कहता था। मैंने उसे कई बार समझाया कि वह मुझे, 'हुजूर' न कहा करे परन्तु उसने अपनी यह आदत न छोड़ी।

कोन्सील को बुलाकर मैंने तुरन्त यात्रा के लिये सामान तैयार करने का आदेश दे दिया। कहाँ जाना है, क्या करना है, इत्यादि प्रश्न पूछे बगैर ही "जो आज्ञा" कह कर वह सामान दुरुस्त करने में जुट गया। मैंने अपने साथ के फालतू सामान को होटल के मैनेजर द्वारा फ्रांस भेजने की व्यवस्था भी कर ली।

कुछ देर में सभी तैयारियाँ पूरी हो गयीं। होटल के पास से गुजरती हुई एक गाड़ी को रोक कर हम दोनों उसमें सवार हो गये और उसी में सामान भी चढ़ा लिया। गाड़ी बंदरगाह की ओर तेजी से चल पड़ी।

जिस समय हम लोग बंदरगाह पहुँचे, उस समय 'अब्राहम लिंकन' अपना लंगर उठाकर चलने की तैयारी ही कर रहा था। दर्शकों की भारी भीड़ जमा थी। उसके बीच से बड़ी कठिनाई हम लोग स्टीमर तक पहुँच पाये। मेरे पहुँचने का समाचार सुनकर जहाज का कप्तान अपनी केबिन से मेरे स्वागत के लिये बाहर निकला। कुछ ही देर में हम दोनों मित्र हो गये। कोन्सील ने मेरा सामान लाकर मेरी केबिन में सजा दिया।

स्टीमर चल दिया। दर्शकों की भीड़ ने अमेरिका की जय-जयकार के नारे लगाये। स्टीमर पर 39 सितारों के चिह्न वाला संयुक्त राष्ट्र का झंडा लहराने लगा। स्टीमर के नाविक एवं हम लोग काफी देर तक दर्शकों की भीड़ को देखते रहे। दुबारा यहाँ

इस दृश्य को देख सकेंगे या नहीं यह शंका सभी के मन में थी। स्टीमर में मशीनों की भयानक घरघराहट चालू हो गयी और वह धीरे-धीरे गोदियों के बाहर निकलता गया। उसकी गति में भी क्रमशः वृद्धि होती गयी। देखते ही देखते अमेरिका का किनारा अदृश्य होने लगा। हमारा जहाज अटलांटिक महासागर के काले पानी के बीच आ गया।

'अब्राहम लिंकन' पर 40-50 व्यक्ति सवार थे। इसमें काफी संख्या इंजीनियरों एवं नाविकों की थी। परन्तु इन सब में एक विशेष व्यक्तित्व वाला व्यक्ति भी हमारे साथ था। वह था नेडलैन्ड। वह अमेरिका में व्हेल के शिकारों का 'राजा' माना जाता था। अमेरिका की सरकार ने उसे विशेष रूप से इस अभियान के लिये निमंत्रित किया था। नेडलैन्ड भी शिकार के ऐसे उत्तम मौके से चूकने वाला न था। स्टीमर के कप्तान द्वारा उसका परिचय होते ही हम दोनों घनिष्ट मित्र हो गये। नेडलैन्ड का भव्य शरीर देखकर मुझे उससे ईर्ष्या होने लगी। 6 फुट ऊँचा, मांसल शरीर, बड़ी-बड़ी आँखें और आगे बढ़े हुए जबड़ों की हड्डियों को देखकर बेचारी व्हेल भी उससे डर सकती थी। हम लोग दिन भर कप्तान की केबिन में बैठकर समुद्र की

बातें ही किया करते थे। जब नेडलैन्ड अपने व्हेल के शिकार के किस्से सुनाता तब हमारे भी रोम खड़े हो जाते एवं ऐसा प्रतीत होता कि सचमुच सामने ही व्हेल खड़ी है। नेडलैन्ड के प्रति मेरी श्रद्धा दिन-प्रतिदिन बढ़ती ही गयी।

परन्तु नेडलैन्ड में एक भारी ऐब था। बातचीत में वह बहुत गरम हो जाया

करता था। परन्तु तुरन्त ही शान्त भी हो जाता था। उसकी राय में समुद्र में ह्वेल से बड़ी मछली न हुई है, न है, न होगी। एक दिन मेरी उससे इस सम्बन्ध में काफी बहस हुई। मैंने एक के बाद एक तर्क द्वारा उसे परास्त करना शुरू किया। उसके पास कोई तर्क न था। परन्तु वह केवल इनकार ही किया करता। वह कहता कि इतने बड़े स्टीमर में सूराख करने की ताकत ह्वेल में हो ही नहीं सकती। मैंने उसे बताया कि ‘‘जो जानवर समुद्र में 30,000 फुट नीचे जाकर लगभग नौ करोड़ पौण्ड भार बरदाश्त कर सकता है वह एक बड़े स्टीमर को उड़ा दे—इसमें क्या आश्चर्य!’’ इस तर्क से वह चुप हो गया; परन्तु उसने सहमति प्रकट न की। उसके बाद मैंने उसे और चिढ़ाना भी बंद कर दिया।

हमारा लिंकन जहाज तेजी से बढ़ रहा था। तीसरे दिन कैप्टन ने घोषणा की कि इस स्टीमर का जो भी व्यक्ति सबसे पहले उस जानवर को देखेगा उसे 2 हजार डालर इनाम मिलेगा। अब दिन भर स्टीमर के डेक के पास हाथ टेक कर लोग खड़े रहते। प्रत्येक के मन में था कि दो हजार डालर का इनाम उसे ही मिलेगा। नाविक भी अपने-अपने काम से मौका निकाल कर चले आते थे और चुपचाप डेक पर खड़े रहते थे। पूरे दिन स्टीमर पर धमाचौकड़ी मची रहती थी।

कई दिन इस प्रकार उस राक्षसी प्राणी के झूठे इंतजार में बीत गये। परन्तु धीरे-धीरे लोग थकने लगे। स्टीमर भी अमेरिका के दक्षिण की ओर होकर प्रशांत महासागर में पहुँच गया था। इतने विशाल महासागर में केवल 200 फुट लम्बे प्राणी को खोजना भी धैर्य की परीक्षा थी। हमारा स्टीमर धीरे-धीरे जापान की ओर जा रहा था। अब जापान का किनारा लगभग दो सौ मील दूर रह गया था।

एक दिन शाम का समय था। समुद्र के पानी का रंग नीले से काला होता जा रहा था। मैं और मेरा नौकर, दोनों कुर्सी रख कर समुद्र की ठंडी हवा का मजा ले रहे थे। कोन्सील की निगाहें दूर क्षितिज पर थी। उसकी आँखें बढ़ते हुए अंधकार में उस प्राणी को खोज रही थी। मैंने कोन्सील से कहा, ‘‘मालूम होता है तुमने दो हजार डालर का इनाम प्राप्त करने की ठान ली है।’’

‘‘जैसा आप सोचें। परंतु प्रश्न यह है कि इस स्टीमर पर दो हजार डालर के इनाम का लालच रखने वाला मेरा जैसा कौन न होगा?’’ कोन्सील ने उत्तर दिया।

‘‘अंधेरा होने लगा, यह ठीक न हुआ। जब तक वह प्राणी दिखाई न पड़े तब तक सूर्यास्त ही न हो ऐसा प्रबन्ध होना चाहिए।’’ मैंने हँसकर कहा।

‘‘यह तो आप जैसे वैज्ञानिक ही कर सकते हैं। शायद इसीलिए अमेरिका की सरकार ने इस स्टीमर के साथ...’’

3

आवाज सुनाई पड़ते ही स्टीमर के कोने से लोग आकर नेडलैन्ड के चारों ओर एकत्र हो गये। ब्वायलर में कोयला डालने वाले मजदूर हाथ में कुदाल लिये ही निकल आये। रसोईघर से बर्तन साफ करने वाले लड़के बरतनों को वहीं छोड़ जूठे हाथ वहाँ चले आये। स्टीमर का कप्तान एवं हम लोग भी नेडलैन्ड के पास पहुँच गये। बाज की तरह नेडलैन्ड की आँखें दूर चिपकी हुई थीं। सभी उसी ओर देख रहे थे। लगभग डेढ़ मील दूर समुद्र के अन्दर सर्चलाईट के जैसा प्रकाश पानी को भेद कर बाहर निकल रहा था। हम लोग उसे देखकर आश्चर्यचकित हो गये। मैंने उस प्रकाश को गौर से देखा तो वह बिजली का प्रकाश मालूम पड़ा। बिजली जैसा प्रकाश वाला वह प्राणी कैसा अद्भुत होगा, इस बात पर मैं विचार करने लगा।

"देखिए देखिए, वह जानवर हम लोगों की तरफ आ रहा है।"

"इंजन को तेजी से चलाओ और स्टीमर को घुमा दो।" कप्तान ने आज्ञा दी।

देखते ही देखते वह प्राणी हम लोगों के करीब आने लगा। हमारा स्टीमर अप सबसे अधिक रफ्तार से वापस घूम रहा था। वह जानवर उसके आगे निकल गय यही नहीं, वह उसका चक्कर लगाकर उसके बगल में स्थिर हो गया। गहरे अंधक के भीतर समुद्र के पानी को जगमगाते उस सुन्दर प्रकाश के पर्दे का यदि हमारे मन में डर न होता तो देखने में कितना मजा आता!

उस प्राणी को मानो हमारे डर का कोई ख्याल न था। कभी वह निगाहों से दूर हो जाता कभी बिल्कुल करीब आ जाता। स्टीमर का कप्तान सचमुच घबड़ा गया। किस क्षण में वह स्टीमर से टकरा जाएगा, यह कहा नहीं जा सकता था। रात के लगभग बारह बजे तक उस जानवर ने हमें इस प्रकार परेशान किया। उसके बाद उसका दिखाई पड़ना बंद हो गया। स्टीमर के लगभग सभी व्यक्ति घबड़ाए हुए स्टीमर के जंगलों के पास खड़े थे।

नेडलैण्ड के क्रोध का ठिकाना न था। इस प्राणी का शिकार नेडलैण्ड के अतिरिक्त कोई न कर सकता था। सभी लोग उसी से उसका शिकार करने को कह रहे थे। परन्तु जानवर किसी भी प्रकार निशाने पर न आ रहा था, उल्टे भारी शोर मचा कर मानो नेडलैण्ड को चिढ़ा रहा था।

बारह बजे उसके अदृश्य होने के बाद वह प्राणी लगभग दो बजे ठीक पाँच मील की दूरी पर दिखाई पड़ा। इतनी दूरी पर भी उसकी श्वासोच्छ्वास क्रिया की आवाज सुनाई पड़ती थी, मानो उसका बड़ा भारी इंजिन भाप छोड़ रहा हो।

दिन निकलते ही स्टीमर पर उस जानवर के शिकार की तैयारियाँ होने लगीं। नेडलैण्ड अकेला बैठा हुआ अपने हारपून को तेज कर रहा था। सुबह हुई। स्टीमर के चारों ओर घना कोहरा छा गया। सभी उस प्राणी को देखना चाहते थे। नेडलैण्ड गरज उठा, "वहाँ देखो!"

धीरे-धीरे कम होते हुए कोहरे के भीतर लगभग डेढ़ मील दूर एक बड़ी काली-सी वस्तु समुद्र की सतह से लगभग तीन फुट बाहर दिखाई पड़ रही थी। उसकी पूँछ के भाग पर समुद्र का पानी टक्कर ले रहा था। मैंने पास जाकर देखा तो विचित्र जलचर की लम्बाई 150 फुट से अधिक न थी। मैं उसे देखता ही रहा। हमलोगों से लगभग आधे फर्लांग दूर होगा। उसके द्वारा उछले हुए पानी के छींटे उतनी दूर चलकर हमारे ऊपर पड़ रहे थे। कप्तान ने उस प्राणी को देख कर स्टीमर की रफ्तार बढ़ाने की आज्ञा दे दी। समूचे स्टीमर पर हर्ष ध्वनि गूँज उठी। स्टीमर की बड़ी चिमनी में से धुएँ के गुब्बार निकलने लगे। स्टीमर ने उस प्राणी पर हमला बोल दिया।

कैप्टन ने नेडलैण्ड से पूछा, "अब जैसे भी हो, हमें उस जानवर को पकड़ना चाहिए। यदि आप कहें तो उसके शिकार के लिये छोटी-छोटी नावें स्टीमर पर से उतरवा दूँ।"

नेडलैण्ड ने उत्तर दिया–"कप्तान साहब, इसकी कोई आवश्यकता नहीं है। क्योंकि लगता है कि उस प्राणी की मरजी होने पर ही हम उसे पकड़ सकेंगे। फिर भी आप निराश न हों। मैं अपनी समूची शक्ति का प्रयोग करके भी उस जानवर को परास्त करने का प्रयत्न करूँगा। हमारा स्टीमर जब उसके नजदीक पहुँच जाएगा, तब मैं स्टीमर के अन्दरवाले भाग में पहुँच जाऊँगा और वहाँ से मौका देखकर निशाना मारूँगा। आप स्टीमर की रफ्तार अधिक से अधिक करा दीजिए।"

कैप्टन ने फिर स्टीमर की रफ्तार तेज करने की आज्ञा दी। इंजिन का हर एक यंत्र चिल्ला उठा। स्टीमर घंटे में साढ़े अठारह मील की रफ्तार से जा रहा था। फिर भी उस प्राणी और स्टीमर के बीच की दूरी कम न हो रही थी। कप्तान परेशान होने लगा। अमेरिका का सबसे तेज रफ्तारवाले स्टीमर की इस प्रकार नाक कटते देखकर कप्तान को मरने के समान यंत्रणा महसूस होने लगी। स्टीमर के जहाजी भी पैर पटकने लगे। फिर कप्तान ने इंजीनियर को बुलाया और डाँटकर कहा–"और रफ्तार बढ़ाओ। ध्यान रखो बायलर फटने न पाये।"

रफ्तार और बढ़ गयी। मेनोमिटर 10^0 पर आ गया। स्टीमर एक घंटे में 19 मील की रफ्तार से चलने लगा फिर भी उस प्राणी और स्टीमर के बीच का अन्तर उतना ही था।

अब क्या करना चाहिए? वह जानवर सचमुच हमें चिढ़ा रहा था। कभी-कभी हमारे बिल्कुल करीब आ जाता था और जब तक नेडलैण्ड अपना हारपून सम्हाले तब तक काफी दूर निकल जाता था।

इस प्रकार दिन भर हमारी और उसकी दौड़ चली। हमने सोचा अब वह प्राणी थक जाएगा। परन्तु शाम तक भी उसके और हमारे बीच की दूरी कम न हुई। कप्तान ने स्टीमर से आज बहुत काम लिया। दिन भर वह परेशान होकर टहलता ही रहा। जब उस प्राणी के निकट पहुँचने की संभावना कम हो गयी तब उसे एक दूसरा विचार सूझा। दोपहर के लगभग दो बज गये थे। कप्तान ने जिन्दा पकड़ने का विचार स्थगित करके उसे तोप के गोले से उड़ा देने का निश्चय किया। निश्चय होने पर उसके अनुसार कार्य करने में देर नहीं हो सकती थी। यकायक स्टीमर पर तोप गरज उठी। उसमें से छूटा गोला उस जानवर से आगे पानी में जाकर गिरा। कप्तान और भी चिढ़ गया। एक बूढ़ा जहाजी आगे आया और उसने उस जानवर को मार डालने का बीड़ा उठाया। तोप के मुँह को ठीक उसके सामने रखकर उसने तोप दाग दी। निशाना ठीक जगह पर लगा। सभी मारे खुशी के चिल्ला उठे। परन्तु दूसरे ही क्षण देखा कि तोप का गोला उस जानवर की पीठ से टकराकर पानी में गिर पड़ा था और उस जानवर की गति में कोई अन्तर न आया था। सभी के आश्चर्य का कोई ठिकाना न रहा। इतनी तेजी से छूटा हुआ गोला भी उस जानवर का कुछ भी न बिगाड़ सका। उस प्राणी का चमड़ा किस धातु का बना होगा?

रात हुई और वह जानवर दिखाई पड़ना बन्द हो गया। हम निराश हो गये। हमें लगा कि हमारी दो दिन की मेहनत व्यर्थ गयी। परन्तु वह हमारी भूल थी। रात के लगभग ग्यारह बजे तीन मील दूर फिर प्रकाश दिखाई पड़ा। अब वह प्राणी स्थिर था। शायद वह दिन भर की थकान मिटाने के लिये आराम कर रहा होगा। शिकार का उत्तम मौका था। कप्तान स्टीमर को उसी ओर ले जाने लगा। नेडलैण्ड लंगर के पास अपना हारपून सम्हाल कर बैठ गया। स्टीमर पर भयानक शान्ति फैल गयी। उस प्राणी से निकलते हुए प्रकाश से हमारी आँखें चकाचौंध हो जाती थीं। देखते-देखते स्टीमर और उस प्राणी के बीच लगभग 20 फुट का अंतर रह गया। प्राणी अब तक सो ही रहा था। नेडलैण्ड ने खड़े होकर निशाना साधा और जोर से हारपून फेंका। हारपून की किसी धातु से टकराने की आवाज आयी। परन्तु तुरन्त ही उस प्राणी से निकलता प्रकाश बंद हो गया और पानी के दो तेज फौव्वारे उसमें से छूटे। देखते-देखते स्टीमर का डेक और उस पर के सभी व्यक्ति पानी से सराबोर हो गये। दूसरे ही क्षण एक जोर का धक्का लगा। मैं जँगले पर पैर रखकर खड़ा था। मैंने

बगल की रस्सी पकड़ने का प्रयत्न किया, पर उसके पहले ही उस धक्के से पानी में गिर पड़ा।

4

समुद्र में गिरने पर भी मैं होश में था। गिरते ही लगभग 10-15 फुट नीचे चला गया परन्तु तुरन्त ही तैर कर पानी की सतह पर आ गया। मैं अच्छा तैराक हूँ, इसलिये घबड़ाया नहीं। तैरते-तैरते मैंने चारों ओर दृष्टि फैलाई, परन्तु आसपास कहीं पर भी जहाज न दिखाई पड़ा। काफी दूर पूर्व की ओर क्रमशः मंद होता हुआ एक प्रकाश दिखाई पड़ रहा था। मैंने जोर से आवाज दी, "बचाओ बचाओ!"

वह हमारा ही जहाज था। जोरों से हाथ-पैर मारते उसी ओर तैर कर जाने लगा। परन्तु मेरे कपड़े मुझे काफी परेशान कर रहे थे। गीले होने के कारण वे मेरे शरीर से चिपक गये थे। उनका भार भी किसी आदमी के भार से कम न था। तैरना मेरे लिये बहुत कठिन कार्य हो गया था। मैं डूबने लगा। मैंने अन्तिम आवाज दी, "बचाओ!" मेरे मुँह में पानी भर गया। मुझे महसूस होने लगा कि मैं मर रहा हूँ। इतने में यकायक मुझे लगा कि किसी ने मेरे कपड़ों को पकड़ कर मुझे ऊपर उठाया है। मैं फिर पानी के ऊपर आ गया। मेरे कान में आवाज सुनाई पड़ी, "यदि आपको कोई विशेष कष्ट न हो तो मेरे कंधों को पकड़े रहिए। इससे आपको तैरने में सरलता रहेगी।"

वह मेरा नौकर-मित्र-कोन्सील ही था। मेरी जान में जान आयी, "कौन? कोन्सील!"

"जी आपकी खिदमत के लिये मैं हाज़िर हूँ।"

"क्या तुम भी मेरी ही तरह समुद्र में गिर पड़े थे?"

"नहीं! आपको गिरते हुए देखकर आप की सेवा के लिये आपके पीछे स्टीमर से कूद पड़ा था।"

"स्टीमर का क्या हुआ?" मैंने पूछा।

"अब उस स्टीमर के बारे में न सोचिए। क्योंकि जैसे ही मैं आपके पीछे कूद पड़ा वैसे ही मैंने आवाज सुनी, "स्टीमर डूब रहा है! स्टीमर डूब रहा है!"

"तब हम बेमौत मरे!"

"शायद! परन्तु जब तक हम डूब कर मर न जाएँ तब तक हाथ पैर चलाते रहेंगे।"

कोन्सील के शरीर में काफी ताकत थी। उसके सहारे से तैरने में मुझे रत्ती भर कष्ट न हो रहा था। कोन्सील ने अपना एक हाथ अपनी जेब में डाल कर चाकू निकाला और उसे दाँतों द्वारा खोल लिया। उससे उसने मेरे कपड़े चीर डाले। मेरे शरीर पर का भार अब हल्का हो गया। मैंने भी उसी प्रकार कोन्सील के कपड़े खोल डाले। अब हमें तैरने में भी आसानी हुई।

लगभग डेढ़ घण्टे तक हम दोनों तैरते ही रहे। मेरी शक्ति कम होती जा रही थी। कोन्सील ने अब मुझे उठा लिया। मेरे हाथ-पैर लकड़ी जैसे हो गये थे। शायद मेरा होश भी कम होता जा रहा था। कोन्सील भी अब जोरों से हाँफ रहा था। मैंने उससे कहा, "तुम मुझे छोड़कर अकेले तैरो।"

"ऐसा कैसे हो सकता है?" उसने जवाब दिया।

चन्द्रमा का धुँधला प्रकाश समुद्री लहरों पर नाच रहा था। मैंने कातर दृष्टि से इधर-उधर चारों ओर देखा। बोलने की ताकत थी ही नहीं। कोन्सील भी काफी कठिनाई से आवाज दे सका–"बचाओ! बचाओ!" उत्तर की अपेक्षा में हम लोगों ने कुछ देर के लिये तैरना स्थगित कर दिया। कुछ आवाज सुनाई पड़ी। कोन्सील ने फिर आवाज दी। दूसरी ओर से मनुष्य की आवाज स्पष्ट रूप से सुनाई पड़ी। क्या वह केवल भ्रम नहीं था? कोन्सील अपनी पूरी ताकत लगाकर चिल्लाया। मैं बेहोश होता जा रहा था। मेरा समूचा शरीर अकड़ गया। मेरे ऊपर समुद्र का पानी फैल गया। मैं डूबने लगा।

यकायक मेरे पैर किसी सख्त वस्तु से टकराए। आवेश में मैं उससे चिपक गया। मुझे महसूस होने लगा कि कोई मुझे ऊपर लिये जा रहा है। होश में आकर जब मैंने आँखें खोलीं तब देखा कि कोन्सील जोरों से मेरे शरीर को मल रहा था। चन्द्रमा के धुँधले प्रकाश में मैंने कोन्सील के बगल में एक अन्य व्यक्ति को खड़ा पाया। कुछ देर में स्वस्थ होने के बाद देखा तो वह व्यक्ति और कोई नहीं था–नेडलैण्ड था!

"कौन नेड! तुम यहाँ कैसे?" मैंने पूछा।

"हाँ! अपने शिकार के पीछे-पीछे मैं भी यहीं हूँ।" नेड ने उत्तर दिया।

"क्या तुम भी मेरी तरह समुद्र में गिर पड़े थे।"

"हाँ! परन्तु आपकी तरह नहीं! मैं गिरने के बाद तुरन्त ही इस तैरते द्वीप पर आ गया।

"तैरता द्वीप।"

"हाँ! जिसको आप राक्षसी मछली बता रहे थे वही।"

"मतलब? जरा स्पष्ट कहो मैं समझ नहीं पाया।"

"अर्थात् मैंने जैसे ही हारपून निशाना साधकर आपके इस राक्षसी प्राणी पर फेंका वैसे ही वह टकरा कर दूर जा गिरा।"

"ऐसा कैसे हुआ?"

"यह प्राणी फौलाद की मजबूत चद्दरों का बना हुआ है। इस समय हम लोग उसी पर खड़े हैं।"

अब मुझे पता चला कि हम किसी वस्तु पर खड़े थे। मैंने अपना पैर जोर से ठोका। हमलोग जिस वस्तु पर खड़े थे वह काफी सख्त थी। दुनिया में किसी भी जानवर की पीठ ऐसी सख्त नहीं हो सकती। फिर यह कैसा होगा? मेरे आश्चर्य का ठिकाना न था। यह तय था कि वह कोई समुद्री जानवर नहीं था। लेकिन उससे मेरा आश्चर्य और भी बढ़ गया। दुनिया में कौन-सा मनुष्य इस वस्तु का निर्माण कर सका होगा? ईश्वर की रचना से भी ज्यादा आश्चर्य में डालनेवाली इस वस्तु की रचना थी। हमलोग समुद्र में चलने वाले एक जहाज की पीठ पर खड़े थे। जहाज का आकार एक बड़ी मछली जैसा था। उसके ऊपर सख्त लोहा जड़ा हुआ था। नेडलैण्ड का कथन अब मुझे स्वीकार करना पड़ा। परन्तु मुझे एक शंका हुई। यदि कोई जहाज होगा तो उसके अन्दर मनुष्य एवं यन्त्र होने चाहिए। परन्तु अभी तक इस जहाज में ऐसा होने का एक भी चिह्न नहीं दिखाई पड़ा था। इस जहाज की रफ्तार एवं ताकत का परिचय हम लोगों को स्टीमर में ही मिल गया था। इस समय वह इत्मीनान से समुद्र की तरंगों पर तैर रहा था। जहाज का ऊपरी भाग समुद्र की सतह से लगभग एक फुट बाहर था और उसी पर हम लोग शांति से बैठे थे। परन्तु यदि जहाज पानी में डुबकी लगाये तो हमलोग क्या करेंगे? किसी भी प्रकार से अन्दर जाने के सभी सम्भव रास्तों की जाँच की। परन्तु सभी जगह लोहे की चद्दरों को बड़े-बड़े बोल्टुओं से जड़ा हुआ था। अँधेरे में और ज्यादा जाँच हो ही नहीं सकती थी। हमलोगों के लिये सुबह तक प्रतीक्षा करने के अतिरिक्त और कोई उपाय न था।

यकायक जहाज ने चलना शुरू कर दिया। हम एक दूसरे को पकड़कर खड़े हो गये। समुद्र की लहरें हम लोगों पर जोरों से टकरा जाती थीं। मैंने अनुमान किया कि उस समय जहाज की गति घंटे में बारह मील की थी।

अंत में वह कठिन रात्रि भी समाप्त हुई। कल्पना की जा सकती है कि हमें उस रहस्यमय जहाज के बारे में जानने का कितना कौतूहल हो रहा होगा? सुबह के प्रकाश में हमलोग जहाज के आकार को ठीक प्रकार देख सके। मैं जहाज की पीठ की जाँच कर रहा था कि जहाज नीचे बैठने लगा। हम लोग घबड़ाए। नेडलैण्ड के गुस्से का ठिकाना न था। "दुष्टों। खोलो इसे।" उसने जोर से पैर ठोककर आवाज

दी। हमलोगों के सद्भाग्य से उस आवाज का असर हुआ। जहाज डूबने से रुक गया।

यकायक लोहे का दरवाजा खुलने की आवाज आयी। लोहे का एक गोल पल्ला खुला और एक व्यक्ति का सिर बाहर निकलता हुआ दिखाई पड़ा। वह पहले तो हम लोगों को देखकर चिल्लाया, पर तुरन्त ही उसने पल्ला बन्द कर दिया। हमलोग बेवकूफों की तरह बाहर फिर खड़े रह गये।

कुछ देर में वह लोहे का दरवाजा फिर खुला। उसमें से आठ मजबूत नकाबपोश निकले। जब तक हम कुछ सोचें समझें वे हमलोगों को अन्दर घसीट ले गये। हमारे अन्दर जाते ही पल्ला फिर बन्द हो गया।

5

यह सब घटनाएँ पलक मात्र में घट गयी। मेरे मन में भय की एक झलक छा गयी। सब जगह अँधेरा था। हमें बहुत ही सँकरी सीढ़ी द्वारा नीचे उतारा गया। दरवाजा खुलने की आवाज आयी और नकाबपोश हमें उस दरवाजे के अन्दर ले गये। वहाँ से फिर दरवाजा बन्द करके बाहर चले गये। यह सब काम इतनी फुर्ती से हुआ कि हमें अपने शरीर का ख्याल कमरा बन्द होने के बाद ही हुआ। हम लोग किसी कमरे में बंद हैं इस बात का विश्वास करने के लिये हमारे पास एक मात्र साधन केवल हमारे हाथ थे। कमरे में इतना अँधेरा था कि उसकी अब कल्पना नहीं हो सकती है।

कुछ देर में हम इकट्ठे होकर सोच-विचार करने लगे। अब क्या होगा? हमलोगों को पकड़ने वाले कोई जंगली आदमखोर हैं, या कोई रहस्यमय डाकू हैं, या कोई विचित्र जादूगर हैं? हमलोग कुछ भी तय न कर पाये।

नेडलैण्ड ने तय कर रखा था कि कुछ भी हो इन लोगों का मुकाबला किया जाय। परन्तु यहाँ हमलोगों की एक भी न चल सकती थी। रहस्यमय अंधकार में हमलोग 20 फुट लम्बे एवं दस फुट चौड़े कमरे में बन्द थे। हमलोगों के पास कोई हथियार भी न था। हम भूख के मारे व्याकुल भी थे। हमलोगों के बचाव का आधार केवल हमलोगों को कैद करनेवाले व्यक्ति ही थे।

इस प्रकार आधा घंटा बीत गया। इतने में अकस्मात् समूचे कमरे में प्रकाश छा गया। इतने समय तक अंधेरे में रही आँखें प्रकाश के प्रभाव से कुछ समय के लिये कुछ भी न देख सकीं। बाद में हमने देखा कि छत पर बिजली का एक बड़ा

बल्ब जल रहा था।

"कुछ भी हो, रोशनी तो हुई।" कोन्सील ने कहा।

नेडलैण्ड ने अपनी जेब से एक तेज धारवाला लम्बा चाकू निकाला। वह कमरा खुलने की प्रतीक्षा कर रहा था। मैंने चारों ओर देखा। बीच में एक मेज एवं चार-पाँच कुर्सियाँ रखी हुई थी। कमरे की दीवारें लोहे की चद्दर की बनी हुई थीं। प्रकाश होने के लगभग पाँच मिनट बाद दरवाजा फिर खुला और दो व्यक्ति अन्दर आये। उनमें से एक नौकर लगता था। दूसरा ऊँचा, प्रभावपूर्ण अधिकारी जैसा व्यक्ति लग रहा था। उसका विशाल शरीर, चौड़ा मत्था एवं छोटी काली आँखें, उसकी शक्ति का परिचय दे रही थीं। नेडलैण्ड भी उसके मुकाबले में छोटा दिखाई पड़ रहा था। हमें लग रहा था कि उसकी छोटी आँखें हमें पार कर देंगी।

उन दोनों के कपड़े ध्यान देने योग्य थे। वे किसी प्रकार की समुद्री वनस्पति के बने हुए थे। कमरे में प्रवेश करके उन दोनों ने किसी विचित्र भाषा में एक-दूसरे से कुछ बात की। उसके बाद उस अधिकारी जैसे आदमी ने मेरी ओर देखकर जैसे कुछ पूछने जैसा इशारा किया। मैंने उसे फ्रेंच भाषा में आपबीती सुनाई। वह उसे सुनता ही रहा। उसके चेहरे से यह नहीं दिखाई पड़ा कि उसने मेरी बात समझी है। मैंने अपना कथन समाप्त किया परन्तु वह वैसे ही खड़ा रहा। मुझे महसूस हुआ कि वह फ्रेंच नहीं जानता। इसीलिये मैंने नेड से अँग्रेजी में बोलने को बताया। नेडलैण्ड तैयार ही था। उसने अँग्रेजी में कथा सुनाई और कहा कि हम भूख से मरे जा रहे हैं। नेडलैण्ड के कहने का भी कोई असर न पड़ा। अब क्या करना चाहिए यह मैं सोच ही रहा था कि कोन्सील टूटी-फूटी जर्मन में बोलने लगा। कोन्सील की बात भी उसके समझ में आयी हो ऐसा नहीं लगा। अन्त में मैंने टूटी-फूटी लैटिन में कहना शुरू किया परन्तु वह भी बेकार हुआ। हम लोग निराश हो गये। वे दोनों आपस में कुछ फुसफुसा कर चले गये और दरवाजा बाहर से बन्द कर दिया।

"यह कैसा जुल्म है! दुनिया की सभी भाषाओं में हम लोग बोल गये परन्तु इन दुष्टों को हमें उत्तर देने तक की फुरसत नहीं है।" नेडलैण्ड ने अपने चाकू को हवा में उछालते हुए कहा।

"तुम शान्त हो जाओ! गुस्सा करने से और भी परेशान होओगे।"

"प्रोफेसर साहब! हम लोग यहीं ऐसे ही भूखे-प्यासे मर जाएँगे। परन्तु ये दुष्ट हम लोगों की ओर देखेंगे तक नहीं।"

"तब तक और कुछ नहीं तो हम लोग दर्शन-शास्त्र की बातें करते हुए समय काट लें!" कोन्सील ने कहा।

मैं यह सोच रहा था कि ये लोग किस देश के होंगे? उनके शरीर अथवा उनकी

भाषा से इसका कोई अनुमान न हो सकता था। नेडलैण्ड भूखे शेर की तरह चिल्ला रहा था और बार-बार दरवाजा खटखटा कर कह रहा था, "खाना भेजो! खाना भेजो!"

कुछ देर में दरवाजा फिर खुला और एक व्यक्ति अन्दर आया। उसके कन्धे पर पहनने के लिये कपड़े थे और उसके हाथ में एक बड़ा थाल था। नेड तुरन्त ही उस आदमी की ओर गया और उसके हाथ का थाल छीन लिया। वह व्यक्ति कपड़े नीचे रखकर जल्दी से चला गया और दरवाजा बाहर से बन्द करता गया।

खाने के पहले कपड़ा पहनने का काम करने को कोई तैयार न था। हम लोग खाने पर जुट गये। भोजन विचित्र प्रकार का था। प्रत्येक वस्तु, प्लेट एवं बर्तन पर अँग्रेजी एन (N) बना हुआ था। नेड और कोन्सील का ध्यान उस अक्षर पर अभी तक नहीं गया था। क्योंकि वे लोग खाने में व्यस्त थे। खाने के बाद थकान महसूस होने लगी। मेरे दोनों साथी खाने के बाद नीचे फर्श पर बिछी हुई चटाई पर सो गये। मुझे भी कुछ देर में नींद आ गयी।

6

मुझे यह ज्ञान नहीं है कि हम लोग कितनी देर तक सोये। परन्तु लगता है कि हम लोग लगभग बारह से पन्द्रह घंटों तक सोते रहे होंगे। थकान उतर गयी थी। जब मैं उठा तब मेरे अन्य साथी सो रहे थे।

मैं उठकर चारों ओर देखने लगा। सब वैसा ही था। केवल हमारे खाने के बर्तन वहाँ से हट गये थे। हम अब भी पिंजड़े में बन्द थे। यद्यपि मेरी थकान उतर गयी थी, फिर भी सीना काफी भारी लग रहा था। मैं साँस बड़ी कठिनाई से ले पा रहा था। कारण देखने पर ज्ञात हुआ कि कमरे में का आक्सीजन कम होता जा रहा था। एक व्यक्ति एक घण्टे में लगभग 176 पाइन्ट आक्सीजन हवा में से ले लेता है। यदि उसी हवा में उतना ही कार्बन डाइ-आक्साइड आ जाये तब साँस लेना बहुत कठिन हो जाएगा। थोड़े समय में आदमी दम घुटकर मर भी जाएगा। अर्थात् यदि थोड़े समय में ही हमारे कमरे में ताजी हवा न आयी तो हमें बेमौत मरना होगा। परन्तु मुझे इसकी चिन्ता न थी, क्योंकि यह सम्भव नहीं था कि इस जहाज का कप्तान हमें इस प्रकार बेमौत मरने देगा। यदि ऐसा ही होता तो वह हमें खाना व कपड़ा न भेजता। इसलिये मुझे विश्वास था कि जो दशा पूरे जहाज की होगी वही हमारी होगी और इसी विचार से मुझे संतोष था। मैं सोच ही रहा था कि इस जहाज का कप्तान किस प्रकार यह सब प्रबन्ध करता होगा, कि यकायक

ताजी हवा से पूरा कमरा भर गया। इस हवा में समुद्र की ताजी सुगन्ध थी। मेरा मन एवं शरीर दोनों प्रफुल्लित हो गये। इस नयी हवा के प्रभाव से मेरे दोनों साथी भी अँगड़ाई लेकर बैठ गये और आँखें मलते-मलते खड़े हो गये। नेडलैण्ड खड़े होते ही बोल उठा—"लग रहा है समुद्री हवा आ रही है!" उसके कथन में सत्य था। कमरे के ऊपर एक छोटी-सी जाली थी जिसमें से ताजी हवा आ रही थी। जहाज में ऐसी आवाज आ रही थी मानो कोई बड़ा प्राणी साँस लेता हो। लग रहा था कि हम लोग समुद्र की सतह से ऊपर थे।

नेडलैण्ड को खड़े होते ही भूख सताने लगी। उसने कहा—"प्रोफेसर साहब, अब नाश्ता आये तो कोई हर्ज नहीं है।"

"नाश्ता मिले या न मिले मुझे कोई एतराज नहीं है।" कोन्सील ने कहा।

"एतराज हो या न हो सब बराबर है, क्योंकि भोजन तभी आयेगा जब उसका समय होगा। अभी तो हमें दरवाजे खुलने का इंतजार करना होगा।" मैंने कहा।

कोन्सील ने खाने के विषय से ध्यान हटाने के लिये दूसरी बातें करना शुरू कर दिया। उसने पूछा—"हम लोगों की क्या गति होगी? हमें कैद करनेवाले लोग कौन होंगे। इस सम्बन्ध में आपकी क्या राय है?"

कोन्सील के प्रश्नों के जब तक मैं उत्तर दूँ तब तक नेडलैण्ड बोल उठा—"मुझे

विश्वास है कि हम लोग भयानक राक्षसों के पंजे में फँस गये हैं और वह हमें खाना भी इसलिये दे रहा है कि हम लोगों को मोटा करके खा जायें। मैंने तो यह निश्चय किया है कि मरना ही है तो इन लोगों में से कुछ को मारकर मरूँगा।''

मैंने कहा—''नेड! तुम गलत सोच रहे हो। मेरी राय है कि ऐसा विचित्र जहाज बनाने और चलानेवाला व्यक्ति भयानक राक्षस नहीं हो सकता। मैं अब तक यह तो नहीं समझ पाया हूँ कि वह हमें यहाँ रखकर क्या करना चाहता है, परन्तु मुझे लगता है कि शायद कुछ समय बाद वह हमें कहीं जमीन पर छोड़ देगा। मेरी राय है कि जो हो सो देखते रहो। यहाँ से भाग जाने का प्रयत्न करना बेकार सिद्ध होगा। और यदि उसमें पकड़े गये तो और परेशान होंगे। यदि परेशान होकर किसी पर हमला कर देंगे तब भी हम उनका मुकाबला न कर पायेंगे। बल्कि अपनी जान खतरे में डाल देंगे। नेड, मुझे तुम्हारी ही चिन्ता हो रही है कि शायद तुम कुछ गड़बड़ न कर दो।'' नेड ने शान्त रहने का वचन तो दे दिया परन्तु वह काफी परेशान था। उसके जैसे हमेशा कुछ न कुछ करनेवाले उद्यमी एवं परिश्रमी व्यक्ति के लिये बन्द कमरे में हाथ पर हाथ धरे रहना मुश्किल था। वह तेजी से चक्कर काटने लगा। कई घण्टे बीत गये। जब मेरी भी हिम्मत पस्त होने लगी तब नेडलैण्ड का क्या हाल होगा? पिंजरे में बन्द सिंह की तरह वह गरज रहा था। कमरे के दरवाजे पर वह लात-घूँसे लगा रहा था। बीच-बीच में जोरों से चिल्ला भी रहा था। परन्तु लोहे की दीवारों के बाहर उसकी आवाज किस प्रकार जा सकती होगी? इस जहाज के कप्तान के प्रति मेरी पिछली सद्भावना भी धीरे-धीरे कम होने लगी। मुझे भी वह व्यक्ति अब क्रूर दिखाई पड़ने लगा। मुझे विश्वास होने लगा कि इस व्यक्ति का उद्देश्य हमें बहुत दुःख देकर मार डालने का है।

अंत में दरवाजा खुला और एक नौकर दिखाई पड़ा। जब तक मैं नेड को रोकूँ तब तक वह उसके ऊपर झपट पड़ा और उसकी गर्दन पकड़ ली। नौकर की आँखें ऊपर चढ़ गयीं। मैं और कोन्सील दोनों उसे छुड़ाने का प्रयत्न कर ही रहे थे कि स्पष्ट फ्रेंच भाषा में हमें सुनाई पड़ा, ''मिस्टर लैण्ड! जरा शान्त हो जाओ। प्रोफेसर साहब, मुझे आपसे कुछ बातें करनी है।''

7

इन शब्दों का उच्चारण करने वाला जहाज का कप्तान था। नेड भी इन शब्दों को सुनकर चौंककर खड़ा हो गया। उसके शब्द काफी प्रभावशाली थे। नेड के पंजे से

छूटकर वह नौकर कैप्टन के इशारे से बाहर चला गया। नेड की इस शरारत का परिणाम सुनने की प्रतीक्षा में हम खड़े हो गये। कप्तान भी हमारी मेज पर अपने हाथ रखकर शांत खड़ा था। कुछ देर शांति रही। फिर शांत एवं गम्भीर आवाज में कप्तान बोला–

"सज्जनों, मैं सभी भाषाएँ ठीक प्रकार बोल सकता हूँ। पहली बार मैंने जानबूझकर आप लोगों से कोई बात नहीं की थी। आप लोगों के मुँह से ही आप लोगों की कहानी मैंने सुनी है। प्रोफेसर साहब जैसे विद्वान् एवं नेडलैण्ड जैसे शिकारी को अचानक ही अपने जहाज में पाकर मैं बहुत खुश हुआ हूँ। आप लोगों का क्या करना चाहिए इस पर विचार मैं कर रहा था। भाग्यवश आप लोग एक ऐसे व्यक्ति के पास पहुँच गये हैं, जिसने वर्षों से दुनिया से समस्त सम्बन्ध तोड़ लिये हैं। मैं जानता हूँ कि आप लोगों का इरादा हम लोगों को हानि पहुँचाने का था...।"

"नहीं कप्तान महोदय! यह आपकी गलती है। हम लोगों का इरादा आप लोग को हानि पहुँचाने का नहीं था। आपको ज्ञात नहीं है कि आपने समस्त दुनिया में किस प्रकार खलबलाहट मचा दी है। आपके जहाज को हम लोगों ने कोई समुद्री राक्षसी प्राणी समझा था और हम लोग उसका शिकार करने निकले थे।" मैंने स्पष्ट किया।

कैप्टन के चेहरे पर सहज साधारण हास्य आ गया। धीरे परन्तु चुभने वाली आवाज में उसने कहा, "प्रोफेसर साहब जब आप जान जाते कि यह जहाज ही है तब भी क्या आप लोग उसके ऊपर हमला न करते?"

इस प्रश्न का मेरे पास कोई उत्तर न था। मेरे ख्याल से कप्तान का अनुमान सत्य था।

कप्तान ने आगे कहा, "मुझे हक है कि मैं आप लोगों के साथ शत्रु के समान बर्ताव करूँ। मैं आप लोगों को किसी भी प्रकार की सुविधा देने के लिये बाध्य नहीं किया जा सकता। आप लोगों को फिर समुद्र के ऊपर तैरते हुए छोड़ दूँ, तो उसमें भी कोई बुराई न होगी। शायद आप लोग मुझे जंगली कहेंगे। परन्तु मैं सभ्य होना नहीं चाहता। फिर सभ्य दुनिया से मेरा किसी भी प्रकार का सम्बन्ध भी नहीं है। सभ्य दुनिया के कोई भी कानून से मैं बँधा नहीं हूँ। आप लोग मुझसे अपनी सभ्य दुनिया की एक भी बात न करें।"

कैप्टन की आँखों से अंगारे से बरस रहे थे। सभ्य दुनिया का एक कट्टर विरोधी हमारे सामने खड़ा है और हम लोग उसके कैदी हैं, यह विचार आते ही मैं काँप उठा। उससे छुटकारा पाना उसी के हाथ में था। कुछ देर बाद कप्तान फिर बोला, "मेरा इरादा आप लोगों को मारने का नहीं है। आप लोग इस जहाज में रहें। कब

तक रहना होगा यह मैं नहीं जानता। शायद जिन्दगी भर तक। आप लोग यहाँ पर आराम से घूम फिर सकते हैं। केवल कुछ दिनों के लिये यदि बंद रखा जाये तो आप लोगों को कोई एतराज नहीं करना चाहिए। आप लोग जहाज का कितना भाग देखेंगे यह भी मैं तय करूँगा।''

मैंने बीच ही में टोक दिया। ''परन्तु एक कैदी को जितनी छूटें दी जा सकती हैं, यह तो उतनी ही हुई। यह पर्याप्त नहीं है।''

''यह मान लेना होगा कि इतना आप लोगों के लिये पर्याप्त है।'' कप्तान ने उत्तर दिया।

''इसका अर्थ यह कि हम लोगों का बाहरी दुनिया के अपने इष्ट मित्रों से सम्बन्ध विच्छेद हो गया?'' मैंने पूछा।

''हाँ। यही समझिए। परन्तु मेरी राय से आप लोगों को इसका ज्यादा अफसोस नहीं करना चाहिए।''

''मैं घोषणा करता हूँ'' नेड ने हाथ ऊँचा करके कहा, ''कि भाग कर छूटने का प्रयत्न न करने का वचन मैं नहीं दे सकता।''

''मिस्टर लैण्ड! मैंने आपको ऐसा वचन देने को कहा भी नहीं है।'' नेड चुप हो गया।

''कप्तान महोदय, आप हम लोगों की दयनीय स्थिति को देखकर हम लोगों पर अत्याचार कर रहे हैं।'' मैंने कहा।

''नहीं श्रीमान्! आप गलती कर रहे हैं।'' कप्तान ने कहा। ''उल्टे मैं आप लोगों पर दया कर रहा हूँ। सच पूछो तो आप लोग मेरे युद्ध-बन्दी हैं। मैं चाहूँ तो आप लोगों को समुद्र की सतह में पहुँचा कर डुबो सकता हूँ। आप लोगों ने मेरे ऊपर हमला किया है। उतना ही नहीं जो बात मैं दुनिया के किसी भी व्यक्ति को जानने नहीं देना चाहता था, वह बात आप लोग जान गये हैं। अब मेरे पास सिवाय आप लोगों को कैद करने के सिवा और कोई रास्ता बाकी नहीं रहा है।''

कुछ देर फिर शांति छा गयी। कुछ क्षण बाद वह फिर बोला, ''प्रोफेसर साहब, आपको और आपके साथियों को यहाँ से भाग जाने के अतिरिक्त सब प्रकार की आजादी है। आपके साथियों के लिये तो मैं कुछ नहीं कह सकता परन्तु आपके लिये जरूर कहूँगा कि आप जैसे वैज्ञानिक को मेरे साथ रह कर कुछ भी नुकसान नहीं उठाना पड़ेगा। उसके विपरीत दुनिया के किसी भी वैज्ञानिक द्वारा नहीं देखे गये अद्‌भुत एवं अकल्पनीय दृश्य आप यहाँ देखेंगे।'' कप्तान के इन शब्दों ने मेरे ऊपर पर्याप्त असर डाला। समुद्र के अन्दर की सृष्टि को देखने का मौका मिलेगा, यह जानकर मेरा चित्त प्रफुल्लित हो गया।

"मैं आपको किस नाम से पुकारूँ?" मैंने पूछा।

"आप मुझे कप्तान नेमो कह सकते हैं।" उसके बाद वह तुरन्त मेरे साथियों की ओर घूमकर उनसे कहने लगा, "आप लोगों का भोजन आपके कमरे में रखा है। ये मेरे साथ चलेंगे। प्रोफेसर, आप खाने के लिये मेरे साथ चलिये।"

मैं कप्तान नेमो के साथ हो गया। छोटे से रास्ते को पार करके हम लोग कुछ देर में भोजन कक्ष में पहुँच गये। बिजली की रोशनी से सारा कमरा प्रकाशमान था। कमरे की आलमारियों में तरह-तरह के चमकते हुए बर्तन रखे हुए थे। कमरे के बीच में कीमती मेज थी और उसके ऊपर नाश्ते का थाल रखा हुआ था। हम लोगों ने नाश्ता शुरू किया।

नाश्ते में कौन-कौन सी वस्तुएँ बनी हैं यह मैं पूछूँ, उसके पहले ही कप्तान बोल उठा, "आप इन चीजों से अपरिचित हैं परन्तु मुझे यह सब समुद्र से मिली हैं। मुझे जिस वस्तु की भी आवश्यकता पड़ती है वह समुद्र देता है। कभी-कभी मैं समुद्र के अन्दर जंगलों में जाकर शिकार भी करता हूँ। समुद्र मुझे खाना ही नहीं कपड़ा भी देता है। मैंने जो कपड़े पहन रखे हैं वह समुद्र के अन्दर होने वाली एक प्रकार की घास के बने हैं। समुद्र से इत्र भी मिल जाता है। यह बिछावन भी एक प्रकार की समुद्री घास का बना है। लिखनेवाली कलम भी ह्वेल की हड्डी से बनी है। स्याही भी 'केलेमारी' नामक मछली से निकलते हुए एक पदार्थ से बनी है। यह सब मुझे समुद्र से मिलता है और एक दिन यह भी आएगा कि यह सब समुद्र में मिल जाएगा।"

"लगता है आपको समुद्र से काफी स्नेह है।" मैंने कहा।

"स्नेह क्या, समुद्र ही मेरा सर्वस्व है। समुद्र ही मेरा जीवन है। समुद्र के ऊपर सत्ता प्राप्त करने के लिये मनुष्य आपस में कट मरते हैं परन्तु समुद्र के भीतर उनकी कोई ताकत नहीं है। जहाँ किसी की भी सत्ता नहीं है वहाँ मैं आजाद हूँ।"

यह कहते-कहते शायद वह अपने में खो गया। कुछ देर बाद वह फिर स्वस्थ हुआ और कहने लगा, "प्रोफेसर महोदय, यदि आपकी इच्छा हो तो हम लोग इस 'नाटिलस' जहाज को देखने चलें।"

8

हम लोग खड़े हो गये। कप्तान नेमो मुझे उस कमरे के बगल के एक दूसरे कक्ष में ले गया। वह पुस्तकालय था। बड़ी-बड़ी ऊँची अलमारियों में एक समान जिल्द

की पुस्तकों की कतारें थीं। चारों दीवारें पुस्तकों से भरी हुई थीं। ऊँची-ऊँची आलमारियों पर चढ़ने के लिये छोटी-छोटी सीढ़ियाँ बीच-बीच में रखी हुई थीं। कमरे के बीच में मेज और कुर्सियाँ थीं। मेज के ऊपर कुछ अखबार भी रखे हुए थे। अखबार बहुत पुराने थे। दो-चार बिजली की बत्तियों से सारा कमरा प्रकाशित था। मैं इन सबको देखकर आश्चर्यचकित हो गया। मुझे यह सब स्वप्नवत् दिखाई पड़ा।

कुछ देर बाद मैंने कहा, ''कप्तान साहब, दुनिया के बड़े-से-बड़े पुस्तकालय को भी शर्माने वाला आपका यह पुस्तकालय देखकर मुझे आश्चर्य हो रहा है।''

''प्रोफेसर, समुद्र की शांति में एवं ऐसे एकान्त में अध्ययन करने में आप जैसे अध्ययनशील व्यक्ति को बहुत ही आनन्द आयेगा। इस पुस्तकालय में कम से कम बारह हजार पुस्तकें हैं। दुनिया के साथ मेरा सम्बन्ध केवल इन पुस्तकों द्वारा है। जब मैंने अपना यह जहाज दुनिया से अलग करके समुद्र में छोड़ दिया था तब मेरे पास यही पुस्तकें एवं अखबार थे और अब भी हैं। मैं यह नहीं जानता कि इसके बाद दुनिया में और कोई भी पुस्तक लिखी गयी होगी। आप इन पुस्तकों का इस्तेमाल कर सकते हैं।''

मैं कप्तान नेमो को धन्यवाद देकर पुस्तकों को देखने लग गया। दुनिया की प्रत्येक प्रसिद्ध भाषा के प्रत्येक महत्व के विषय की प्रसिद्ध पुस्तकें बाकायदा वर्गीकरण करके रखी हुई थीं। मैं यह सब देख रहा था कि कप्तान नेमो ने अपने जेब से एक बड़ी सिगार निकाली और मेरे सामने पेश की। मैंने उसे लेकर सुलगाते हुए कहा, ''इस सिगार के लिये आपको दुनिया से सम्बन्ध रखना पड़ता होगा।''

''नहीं! सिगार भी मुझे समुद्र से मिलती है। यह तम्बाकू एक प्रकार की समुद्री घास द्वारा बनती है। यद्यपि यह बहुत कम होती है फिर भी आप इसे चाहे जितनी खर्च कर सकते हैं।''

वहाँ से हम लोग दूसरे कमरे में घुसे। उस कमरे में दीवारों के ऊपर बड़े-बड़े चित्र टँगें हुए थे। कई चित्र योरोप के प्रसिद्ध चित्रकारों के थे। कुछ चित्र कप्तान नेमो के स्वयं भी बनाये थे। कुछ चित्र प्रसिद्ध संगीतज्ञों के थे। वहाँ से हम लोग तीसरे कमरे में गये। उस कमरे को देखकर मेरे आनन्द एवं आश्चर्य का ठिकाना न रहा। चारों ओर शीशे की बड़ी-बड़ी आलमारियों में समुद्र की तरह-तरह आश्चर्यजनक वस्तुएँ बाकायदा रखी हुई थीं। विशेष करके उसमें सीपें, समुद्री पौधे एवं छोटी मछलियाँ थीं। प्रत्येक वस्तु पर छोटी चिट चिपकी हुई थी जिस पर उस वस्तु का नाम एवं संक्षेप में ब्योरा लिखा हुआ था। एक जगह बड़े-बड़े एवं विभिन्न के रंग के मोती रखे हुए थे। एक की कीमत दुनिया में लगभग 20-25 लाख रुपया होगी। कप्तान यह सब आनन्द से एवं उत्साह से हमें दिखा रहा था। मैं भी उसे

देखने में ऊब न रहा था। वहाँ से हम लोग कप्तान के कमरे में गये। उसका कमरा बहुत साधारण था। एक लोहे का पलंग, एक छोटी मेज और कुर्सी एवं कुछ कपड़े, इतना ही सामान उसमें था। कमरे की छत के ऊपर कुछ यंत्र दिखाई पड़ रहे थे। मैंने कुतूहल से उनकी ओर देखा। कप्तान ने पूछने के पहले ही कहना शुरू किया, ''आप बैठिए, मैं आपको सब बता रहा हूँ। यह आप जो यन्त्र देख रहे हैं, उनके द्वारा मैं जहाज चलाता हूँ। यहाँ बैठे-बैठे मैं तय करता हूँ कि मुझे जहाज को किस दिशा में ले जाना चाहिए। कुछ-कुछ तो आप भी समझ जाएँगे। यह घड़ी जैसी वस्तु मेनोमिटर है। बाहर के पानी से उसका सम्बन्ध है इसलिये वह जहाज के ऊपर पानी का दबाव बतलाती है और इस प्रकार यह ज्ञात हो जाता है कि जहाज कितनी गहराई में है। उसके बगल में थर्मामीटर है जिससे पानी का तापमान ज्ञात हो जाता है। पास के अन्य सभी यन्त्रों पर समस्त जहाज निर्भर है। वही जहाज की आत्मा है और उसमें केवल एक ही शक्ति है—बिजली।''

''हाँ! कप्तान साहब। बिजली से ही आप अपने जहाज को इतनी तीव्र गति से चला लेते हैं। परन्तु मेरी राय में इस बिजली के लिये आपको बहुत सा जस्ता, ताँबा आदि धातुओं का प्रयोग करना पड़ता होगा।''

''इसका उत्तर भी मेरे पास है, पहले तो समुद्र में नीचे जस्ता, लोहा, चाँदी एवं सोने की खानें हैं, परन्तु मुझे इनकी कोई आवश्यकता नहीं पड़ती। मैंने एक दूसरा सरल उपाय ढूँढ़ निकाला है। आप जानते हैं कि समुद्र के पानी में सोडियम काफी मात्रा में होता है। उस सोडियम को पारे के साथ मिलाने से जस्ता जैसा पदार्थ तैयार होता है। मैं पानी में से सोडियम निकाल कर उसमें पारा मिला लेता हूँ। पारा कभी नष्ट नहीं होता और जब सोडियम कम हो जाता है तब उसे समुद्र से फिर निकाल लेता हूँ। इससे मिलने वाला बिजली का प्रवाह काफी तेजस्वी होता है।

''ठीक, बिजली तो आपने पैदा कर ली और बिजली से जहाज चलेगा। परन्तु जीवन को चलाने के लिये जो हवा की आवश्यकता पड़ती होगी वह बिजली कैसे देती है?''

''यह भी मैं आप को बता दूँ। मेरे पास आवश्यक हवा पैदा करने के यन्त्र हैं। परन्तु उसे इस्तेमाल करने की आवश्यकता ही नहीं पड़ती। क्योंकि जब मेरी तबीयत होती है तब मैं जहाज को समुद्र की सतह के ऊपर ले जा सकता हूँ और मेरी बिजली चाहे हवा न पैदा कर सकती हो परन्तु उसके द्वारा संचालित यन्त्रों द्वारा मैं खास तौर की बनी हुई टंकी में भर लेता हूँ। समुद्र के नीचे भी काफी देर तक उससे हवा मिलती रहती है।''

''कप्तान! आपकी बुद्धि को धन्य है। दुनिया को जिस वस्तु का निर्माण करने

में सैकड़ों वर्ष लगेंगे उसी का आप इस समय प्रयोग कर रहे हैं। दुःख केवल यह है दुनिया आपके आविष्कार को जान न सकेगी। यदि दुनिया को भी इसका लाभ मिलता तो कितना अच्छा होता। अवश्य ही यह भी आपके ऊपर ही निर्भर है।'' मैंने कहा।

''यह हम लोग बाद में सोचेंगे। इस विषय पर मेरा निर्णय अटल है। परन्तु इस समय तो हम लोग जहाज के यन्त्रों को देखेंगे। इस घड़ी को देखिए। यह भी बिजली से ही चलती है। उसकी चाल में एक सेकेण्ड का भी अन्तर नहीं आ सकता। यह गोल चन्दा देखिए। यह जहाज की गति बता रहा है। इस समय जहाज पन्द्रह मील प्रति घण्टा की गति से चल रहा है।''

यहाँ से हम लोग जहाज के पीछे के हिस्से में गये और वहाँ एक लोहे की सीढ़ी द्वारा ऊपर चढ़े।

मैंने पूछा, ''यहाँ से कहाँ जाया जा सकता है?''

कप्तान नेमो ने कहा, ''इस जहाज के साथ एक हल्की नाव लगी है, जिसका प्रधान गुण यह है कि वह डूब सकती ही नहीं। इस नाव में बैठकर कभी-कभी मैं समुद्र की सतह पर घूमने निकल जाता हूँ। आप सोचेंगे कि वह समुद्र की सतह पर कैसे जाती होगी? परन्तु उसमें कोई विशेष कारीगरी नहीं है। जिस प्रकार मैं समुद्र के कपड़े पहन कर पानी में उतर जाता हूँ उसी प्रकार मेरी नाव भी अपने खास कपड़े पहन कर बाहर निकलती है।''

उस लोहे की सीढ़ी के बगल में जहाज का रसोई घर था। खाना पकाने के लिये बिजली के चूल्हे बने हुए थे। बगल में स्नानागार था, जिसमें बिजली द्वारा गरम किया हुआ पानी जा रहा था। उसके बगल में नाविकों के रहने का कमरा था परन्तु वह बन्द था। उसमें क्या प्रबन्ध है और उसमें कितने आदमी रह सकते थे, यह मैं नहीं देख सका। मुझे लगा शायद कप्तान इस बात की विशेष सावधानी बरत रहा है कि हमलोगों को यह ज्ञात न हो पाये कि इस जहाज में कितने व्यक्ति हैं।

वहाँ से हम लोग जहाज के इन्जिन वाले कमरे में गये। पूरा कमरा प्रकाशित था। कमरे का आकार लगभग 65 फुट था। उसके दो भाग थे। एक में केवल बिजली उत्पन्न करने का कार्य हो रहा था, जबकि दूसरे में बिजली के बल से पंखा चलने का कार्य हो रहा था। सोडियम के कारण उसकी विचित्र गन्ध समूचे कमरे में आ रही थी। कप्तान के अनुसार उस गन्ध को दूर करने के लिये प्रतिदिन सुबह पूरा जहाज धोया जाता था। जहाज के यन्त्रों को देखनें में मुझे दिलचस्पी हुई। उसने मुझे पंखा दिखाया। उन्नीस फुट की नाप वाला वह पंखा एक सेकेण्ड में 120 चक्कर लगा रहा था।

मैंने कैप्टेन से पूछा, ''इस पंखे की सहायता से आप जहाज की ज्यादा से ज्यादा कितनी गति रख सकते हैं?''

कैप्टेन ने उत्तर दिया, ''ज्यादा से ज्यादा प्रति घण्टे पचास मील।''

पानी में किस प्रकार जहाज इतनी तेजी से जा सकता होगा यह मेरी समझ में नहीं आ पाया। दूसरी शंका यह हुई कि यह जहाज समुद्र के नीचे सतह पर कैसे पहुँचता होगा?''

मैं प्रश्न पूछूँ उसके पहले ही कप्तान बोल उठा, ''हमने बहुत कुछ देख लिया। अब जो बाकी रह गया है उसको देखने के लिये हम लोगों के पास पर्याप्त समय है, क्योंकि हम दोनों इस जहाज को छोड़कर कहीं भी जानेवाले नहीं हैं। अब चलिये मेरे कमरे में चलकर बैठिए।''

हम एक बड़ी मेज के पास कुर्सियों पर बैठ गये। कप्तान ने अपने जहाज का नक्शा मेज पर फैलाया। सिगार पीते हुए उसने कहना शुरू किया, ''इस जहाज की लम्बाई 232 फुट, एवं ज्यादा से ज्यादा चौड़ाई 26 फुट है। वजन 1500 टन है, और जहाज कुल 5000 घन फुट जगह घेरता है। इस जहाज की रचना इस प्रकार हुई है कि जब वह तैरता है तब उसका 9/10 भाग पानी में और 1/10 भाग पानी के बाहर रहता है। मजबूती के लिये उसके बाहर दो चद्दरें मोड़ करके इस प्रकार मजबूती से जड़ दी गयी है कि चाहे जैसे विकट समुद्री तूफान में भी जहाज का कोई भी नुकसान नहीं हो सकता। जब मुझे जहाज समुद्र के ऊपर ले जाना होता है तब जहाज के नीचे रखी पानी की टंकी खाली कर देता हूँ और टंकी में पानी भरने से जहाज नीचे उतरता है। जब ज्यादा नीचे उतारना होता है या, एक दम नीचे उतारना होता है तब और भी टंकियों में पानी भर दिया जाता है। जब फिर ऊपर आना होता है तब बिजली के पम्प से सभी टंकियों का पानी उलीच देता हूँ। जहाज का भार कम होने के कारण वह फिर ऊपर उठ आता है।

कैप्टेन की बुद्धि को देखकर उसकी सराहना किये बगैर नहीं रहा जा सकता था।

कैप्टेन ने अपना कथन आगे जारी रखा। ''जहाज का पतवारिया अपने पतवार को पकड़कर जहाज के ऊपर के भाग में शीशे की बनी हुई छोटी कोठरी में बैठा रहता है। वह शीशा पानी के भारी से भारी दबाव में भी नहीं टूटता है। उस काफी मोटे शीशे से स्पष्ट दिखाई नहीं दे सकता है इसलिये उसके साथ बहुत प्रकाश वाली बिजली की बत्ती भी रख दी गयी है।

''सचमुच कप्तान साहब आपका जहाज अद्भुत है!'' मैंने कहा।

''हाँ प्रोफेसर साहब! और उसे मैं अपनी जान से ज्यादा चाहता हूँ। यही

मेरा आश्रय है, यही मेरा साथी है, दुनिया के सर्वोत्तम जहाज से भी उत्तम मेरा जहाज है। उसकी तरफ निगाह करने वाले का नतीजा क्या होगा, यह आपको आपके स्टीमर 'अब्राहम लिंकन' से ज्ञात हो चुका है। मुझे अपने जहाज पर अटूट विश्वास है। मैं उसका मालिक हूँ। मैं ही उसका निर्माता हूँ और मैं ही उसका कप्तान हूँ।'' कहते-कहते कप्तान की आँखें चमक उठीं। जिस प्रकार अपने बच्चे के बारे में बात करते हुए पिता गद्‌गद्‌ हो जाता है उसी प्रकार वह गद्‌गद्‌ हो रहा था।

''परन्तु इतना बड़ा जहाज दुनिया से छिपाकर आप किस प्रकार बना पाये?'' मैंने पूछा।

''मैंने इस जहाज के अलग-अलग भागों को अलग-अलग कारखानों में बनवाया। प्रत्येक कारखाने में अलग-अलग नाम से उसका आर्डर भेजा गया था। समुद्र के एक छोटे से निर्जन द्वीप पर इसका छोटा-सा कारखाना मैंने खोला। मेरे विश्वसनीय साथी जो मेरे जीवनपर्यन्त साथी रहेंगे, उनकी सहायता से उन भागों को फिट किया। जब जहाज तैयार हो गया तब उस द्वीप पर के कारखाने को आग लगाकर नष्ट कर दिया। मनुष्य की बस्ती का प्रत्येक चिह्न उस द्वीप पर से मिटा दिया गया।''

''जहाज बनाने में आपका कितना खर्च हुआ?''

''लगभग बीस लाख पौण्ड।''

''तब तो आप काफी अमीर होंगे।''

''बहुत! यदि मैं चाहूँ तो पूरे इंग्लैण्ड का कर्जा चुका सकता हूँ!'' कप्तान मेरी ओर देखकर जरा मुस्कुराया।

उस मुस्कुराहट में कितना तिरस्कार छिपा हुआ था!

9

उत्तर ध्रुव से दक्षिण ध्रुव तक एवं एशिया के पूर्वी किनारे से लेकर अमेरिका के पच्छिमी किनारे तक प्रशांत महासागर फैला हुआ है। वह सभी समुद्रों की अपेक्षा शांत रहता है। उसके प्रवाह बड़े एवं मंद गति से बहने वाले हैं। उसके ज्वार भी शांत होते हैं। इस क्षेत्र में वर्षा भी पर्याप्त मात्रा में होती है। काफी विचित्र परिस्थितियों में हम इस महासागर में घूम रहे थे।

''प्रोफेसर! हम लोगों की यात्रा यहाँ से शुरू हो रही है। देखिये, इस समय पौने बारह बज रहे हैं। अब मैं जहाज को समुद्र की सतह के ऊपर लिये जा रहा हूँ।''

इतना कहकर कैप्टेन नेमो ने बिजली की घंटी तीन बार बजायी। पंप चालू हो गये। पानी की टंकियों में से पानी उलीचा जाने लगा। साथ ही साथ मेनो-मीटर की सूई जहाज के ऊपर जाने वाली गति बताने लगी। कुछ देर में जहाज समुद्र की सतह के ऊपर आ गया। हम जहाज के बीच में रखी हुई सीढ़ी द्वारा ऊपर चढ़ने लगे और डेक पर आ गये। ऊपर चढ़कर देखा कि जहाज शांति से बैठने देने वाला न था। वह अपना मछलियों से सम्बन्धित ज्ञान का कोष उसके आगे खाली करने लगा। मैं मछलियों को देखने में ही मशगूल हो गया।

शाम हुई। एकाएक कमरे के ऊपरी भाग की खिड़कियों से फिर प्रकाश आना शुरू हो गया। समुद्र के दृश्य के बंद होते ही मुझे लगा मानो स्वप्न देखते हुए मैं भरी नींद से जग रहा हूँ। ऊपर के यंत्रों में देखा तो कम्पास की सुई ईशान की तरफ है। मेनो-मीटर में 5 वायु मण्डल का भार था अर्थात् जहाज लगभग 100 फ़ैदम नीचे चल रहा था। मुझे प्रतीत होने लगा कि अब कैप्टेन नेमो आ रहा होगा, परन्तु वह दिखाई नहीं पड़ा। नेड और कोन्सील अपने कमरे में गये। वहाँ खाना तैयार रखा था। खाना खाकर मैंने पढ़ना लिखना शुरू किया। और उसके बाद सब लोग सो गये।

लगभग बारह घंटे बाद दूसरे दिन मैं जगा। कोन्सील अपनी आदतके अनुसार मुझे नमस्कार कर गया। नेड अब तक सो रहा था। उठकर मैंने कपड़े पहन लिये और सैलून में गया। मेरा विचार था कि कैप्टेन नेमो वहाँ होगा। परन्तु वह खाली था। समुद्र में देखने वाली खिड़कियाँ भी बंद थीं इसलिये समुद्र में भी कुछ देखा नहीं जा सकता था। जहाज साधारण गति से जा रहा था। मेरा दूसरा दिन भी इसी प्रकार कट गया। हम लोगों की सेवा बराबर की जाती थी। खाना भी नियमित मिला करता था। परन्तु हम लोगों को जितना आनंदित होना चाहिए उतने प्रसन्न नहीं थे। क्योंकि चाहें जो हो हम लोग कैदी थे। जब मुझे समय मिलता था तब मैं पढ़ता था या अपने अनुभव की याददाश्त लिखा करता था।

एकाएक ग्यारह नवम्बर को सुबह पूरे जहाज में ताजी हवा फैल गयी। हमारा जहाज ताजी हवा लेने के लिये समुद्र की सतह के के ऊपर आया था। समुद्र के दर्शन करने के लिये मैं भी डेक के ऊपर गया। सुबह के 6 बजे थे। आकाश में बादल थे। समुद्र शांत था। मुझे लगा कि कैप्टेन यहाँ पर मिलेगा। परन्तु मैंने केवल उस शीशे जड़े कमरे में पतवार को पकड़े हुए एक आदमी को ही देखा। मैं डेक पर बैठकर समुद्र की ताजी हवा का रसास्वादन करने लगा। कुछ देर में हल्के बादलों को चीर कर सूर्य की रश्मियाँ पानी पर तैरने लगीं। एकाएक एक व्यक्ति ऊपर आया। जैसे मुझे देखा ही नहीं, मेरी बगल में खड़ा हो गया और दूरबीन से चारों ओर देखकर

कुछ विचित्र भाषा में एक वाक्य बोला। यद्यपि वैसा ही वाक्य मैं रोजाना सुन रहा था, फिर भी मैं, उसका मतलब अब तक न समझ पाया था। वह व्यक्ति नीचे चला गया। मैं भी अपने कमरे में चला आया।

इस प्रकार पाँच दिन बीत गये। हमारे दिन इसी प्रकार हैरानी में कट रहे थे। कैप्टेन नेमो मुझे कहीं पर भी न दिखाई पड़ा। मैंने निश्चय किया कि अब मुझे उससे मिलना ही चाहिये। 16 नवम्बर की सुबह अपने कमरे में घुसते ही मेज पर एक चिट्ठी पड़ी हुई मैंने देखी। लिफाफा खोलकर स्पष्ट एवं बड़े अक्षरों में लिखी हुई उस चिट्ठी को मैंने पढ़ा।

"प्रोफेसर एरोनैक्स,

कैप्टेन नेमो आपको कल सुबह केस्पो द्वीप के जंगलों में शिकार के लिये आमंत्रित करता है। आशा है आपको कोई एतराज न होगा। आप के साथी भी यदि साथ चलेंगे तो विशेष आनन्द की बात होगी।"

10

इस प्रकार अचानक निमंत्रण मिलने से मुझे बहुत आश्चर्य हुआ। उस निमंत्रण ने जमीन से सम्बन्ध-विच्छेद कर लेने वाली कप्तान की बात गलत सिद्ध कर दी। शिकार

की बात सुनकर नेडलैण्ड को दोहरा आनन्द हुआ। एक यह कि बहुत दिनों बा जमीन पर पैर पड़ेंगे दूसरा यह कि जमीन पर कदम रखने से ही इस भयानक व्यक्ति के पंजों से छूटना संभव होगा।

मैंने नक्शे में देखा कि एक छोटा-सा द्वीप आग्नेय दिशा पर स्थित था। नक्शे से स्पष्ट था कि वह द्वीप निर्जन होना चाहिए। रात हुई और हम लोग सो गये परन्तु नींद में भी शिकार के ही स्वप्न आने लगे। प्रातः जल्दी से उठकर और कपड़े पहनकर मैं ड्राइंग रूम में पहुंच गया। कैप्टेन नेमो वहाँ पर मेरी प्रतीक्षा कर रहा था।

"कहिए! आप मेरे साथ चले रहे हैं?" कैप्टेन ने मेरे लिये एक कुर्सी खिसकाते हुए कहा।

"जी हां!" मैंने उत्तर दिया, "मुझे कोई एतराज नहीं है। एतराज आपको हो सकता था।"

"क्यों?" कप्तान ने आश्चर्य से पूछा।

"क्योंकि आप जमीन पर कदम नहीं रखते।"

"नहीं ऐसी कोई बात नहीं है, यदि आवश्यकता हो तो मैं रख भी सकता हूँ। परन्तु आज नहीं रक्खूँगा।"

"फिर शिकार किस प्रकार होगा?"

"आप अभी तक नहीं समझे! आज हम लोग जमीन पर शिकार न खेलेंगे।"

"तब कहाँ?"

"समुद्र के नीचे जंगलों में।"

"हैं! तब आप सब लोगों को डुबो देना चाहते हैं?"

"नहीं! मैं आपको इस प्रकार ले जाऊँगा कि आपके शरीर को पानी का एक बूँद भी नहीं छुएगा।"

"शिकार किस हथियार से होगा?"

"बंदूकों से।"

मुझे लगा कि कैप्टेन का कोई पेंच ढीला हो गया है। परन्तु यह बात मैं कह कैसे सकता था? साफ-साफ कहने में जान खतरे में थी। उसने मुझे नाश्ते के लिये तैयार होने को कहा। मेरे साथी भी तैयार हो चुके थे। कैप्टेन नेमो आया और मुझे एक कमरे में ले गया। वहाँ पर विचित्र आकार की पोशाकें टँगी हुई थीं। कैप्टेन ने उनकी ओर उँगली करते हुए कहा, "प्रोफेसर शायद आप सोचते होंगे यह व्यक्ति पागल हो गया है। परन्तु यदि आपने कुछ आगे सोचा होता तो आप ऐसा महसूस न करते। आप जानते हैं कि यदि आप के पास साँस लेने के अपने साधन हों तो आप पानी के नीचे भी रह सकते हैं। आप ही के देश के दो व्यक्तियों ने पानी

के अन्दर साँस लेने के यंत्र का आविष्कार किया है। मैंने उसमें कुछ आवश्यक परिवर्तन किये हैं और उनका प्रयोग कर रहा हूँ। लोहे की मोटी चद्दर से बने बक्से में हवा भर कर उसे पीठ पर बाँध दिया जाता है। उससे दो छोटी रबर की नलियाँ एक नाक एवं दूसरी मुँह के साथ जुड़ी हुई होती हैं। नाक वाली नली द्वारा ताजी हवा मिलती है तथा मुँह वाली नली से जहरीली हवा बाहर निकल जाती है। शरीर पर हम लोग मजबूत रबर के कपड़े पहन लेते हैं। शायद आपको शंका होगी कि पानी में रास्ता किस प्रकार देख सकते होंगे? उसके लिये मैंने बिजली के लैंप रखे हैं।''

''यह तो ठीक, परन्तु पानी में बंदूक किस प्रकार दागी जाती है?'' मैंने पूछा।

''यही मैं भी कहने जा रहा था। मैं बंदूक में साधारण कारतूसों का प्रयोग नहीं करता। मेरी बंदूक से बिजली द्वारा छूटने वाली सीसे की गोली इस प्रकार छूटती है कि मजबूत प्राणी को भेद कर वह आर पार निकल जाती है।''

''बस अब मैं तैयार हूँ। जहाँ कहीं आप चलेंगे, मैं भी चलूँगा।

''और आपके अन्य साथी?'' कैप्टेन ने पूछा।

''हम तीनों एक ही साथ रहेंगे।'' कोन्सील ने तुरन्त उत्तर दिया।

नेड निराश हो गया। जमीन पर जाकर भाग जाने की उसकी समस्त योजना नष्ट हो गयी थी। फिर भी वह हम लोगों के साथ चलने को तैयार हो गया।

तैयारी प्रारम्भ हो गयी। कप्तान के आदेशानुसार एक व्यक्ति ने हम लोगों को कपड़े पहनाये। हम लोगों को एक-एक बंदूक भी दी गयी। कपड़े पहनने पर भी हम लोग आसानी से घूम-फिर सकते थे। हम लोगों के हाथ में एक बत्ती भी दी गयी।

कपड़े पहन कर हम लोग कमरे के नीचे के भाग में टंकी जैसे एक कमरे में उतरे। तुरन्त ही वह कमरा ऊपर से बंद हो गया और कुछ देर में एक बड़े नल द्वारा समुद्र का पानी पूरे कमरे में भर गया। अब हम लोग पानी के अंदर थे। कमरे में पानी भरते ही नीचे का दूसरा दरवाजा खुला। मंद प्रकाश दिखाई पड़ा और तुरन्त ही हम लोगों के पैर समुद्र की तली पर पड़े।

समुद्र की सतह से लगभग 5 फैदम नीचे मेरे पैर बहुत दिनों बाद ठोस भूमि पर पड़े। तब मेरे मन में क्या-क्या भाव आये होंगे उसकी कल्पना आप खुद ही कर लीजिये। मेरी कलम उसका वर्णन नहीं कर सकती।

कैप्टेन नेमो हम लोगों के आगे-आगे चल रहा था। मैं और कोन्सील साथ-साथ चल रहे थे। बिजली के प्रकाश में हम लोग लगभग 100 कदम तक देख सकते थे। चारों ओर का पानी हमें पानी जैसा नहीं बल्कि घना वायुमण्डल जैसा ही लग रहा था। पैरों के नीचे सुन्दर चिकनी बालू थी। सूर्य की किरणें यहाँ तक नीचे पहुँचने

का प्रयत्न कर रही थीं।

यहाँ कैप्टेन नेमो रुक गया। मैं उसके पास पहुँच गया। उसने मुझे उँगली से कुछ बताया। दूर काला परदा-सा कुछ दिखाई पड़ रहा था। मैंने सोचा यही क्रेप्सो द्वीप का जंगल होगा।

हम लोग जंगल के किनारे पहुँचे गये। यहाँ कैप्टेन नेमो का साम्राज्य था। यहाँ पर किसी का भी आक्रमण नहीं हो सकता था। कैप्टेन नेमो राजा की तरह जंगल में घुसा। हम लोग उसके पीछे थे। रास्ते के दोनों ओर बड़े-बड़े पौधे उगे हुए थे। नीचे कालीन की तरह घास थी। विचित्रता यह थी कि उस घास या पौधे की कोई जड़ नहीं थी। फिर भी वनस्पति और उसके पास पड़े हुए छोटे-छोटे कीड़े इस प्रकार विचित्रता से बिछे हुए थे कि कौन वनस्पति है या कौन जन्तु, उसका पता नहीं चल सकता था।

लगभग एक बजे कैप्टेन नेमो ने हम लोगों को आगे बढ़ने से रोक दिया। वहाँ हम लोग कुछ देर आराम करने बैठ गये। परन्तु हम लोग आपस में बातचीत न कर सकते थे। आसपास का दृश्य बड़ा ही सुहावना था। चार घंटे तक निरंतर चलने पर भी मुझे भूख बिल्कुल न लगी थी आश्चर्यजनक बात थी। न जाने क्यों, मुझे नींद आने लगी। मैं सो गया।

यह नहीं ज्ञात हो सका कि मैं कितनी देर तक सोता रहा। परन्तु जब मैं जगा तब सूर्य की किरणें तिरछी पड़ रही थीं। कैप्टेन नेमो और उसके साथी चलने की तैयारी कर रहे थे। मैं भी अँगड़ाई लेकर उठ रहा था कि अचानक कूद कर खड़ा हो गया। मुझसे थोड़ी ही दूर लगभग तीन फुट लंबा एक समुद्री मकड़ा आँखें निकाल कर मेरी ओर आता हुआ दिखाई पड़ा। यद्यपि मेरे कपड़े इतने मजबूत थे कि वह मेरा कुछ भी न बिगाड़ सकता था परन्तु कुछ क्षण के लिये मैं डर गया और खड़ा हो गया।

हम लोग फिर आगे बढ़ने और समुद्र की सतह के लगभग 45 फैदम नीचे पहुँच गये। अँधेरा बढ़ता जा रहा था इसीलिये कैप्टेन ने अपनी बिजली की बत्ती जलाई। चलते समय बीच-बीच में कैप्टेन बन्दूक का निशाना लगाता था। बंदूक की आवाज न सुनाई देती थी परन्तु शिकार हो जाता था। कई छोटे-मोटे समुद्री जानवर इधर-उधर भाग रहे थे।

अंत में चार बजे हम लोगों की यात्रा समाप्त हुई। सामने एक बहुत बड़ी चट्टान की दीवार आ गयी। यहाँ से हम लोग वापस लौटे। कैप्टेन नेमो सबके आगे-आगे चल रहा था। जिस रास्ते से हम लोग गये थे उससे वापस न लौट रहे थे। नया रास्ता खूब ढालू था और इस कारण काफी कठिन भी था, परन्तु वह रास्ता

छोटा था।

लौटते समय मैंने कैप्टेन नेमो का निशाना दो बार देखा। पहले उसने एक मछली खाने वाले समुद्री जानवर को मारा। उस प्रकार का रुपहला चिकने पेट वाला लगभग दो मन वजन का ऐसा जानवर समुद्र में शायद ही देखने को मिलता हो। कैप्टेन नेमो के साथियों ने मृत जानवर को कंधे पर लाद लिया और हमलोग आगे बढ़े।

हम लोग धीरे-धीरे समुद्र की सतह के ऊपर आ रहे थे। सतह पर की समुद्री तरंगों की आवाज स्पष्ट सुनाई पड़ रही थी। ऊपर बड़े-बड़े पक्षी भी दिखाई पड़ रहे थे। पक्षियों के उड़ते हुए जत्थे का निशाना लगाकर कैप्टेन नेमो ने बन्दूक दागी और एक पक्षी तड़फड़ाता पानी में गिर पड़ा। तुरन्त ही उसे एक आदमी ने पकड़ लिया। उस पक्षी का नाम 'आल्बेट्रोस' था।

हम लोग आगे बढ़ रहे थे। नोटिलस की मंद रोशनी दूर से दिखाई पड़ने लगी। लगभग आधा घंटे का रास्ता और बाकी था। टंकी में हवा भी शायद कम होती जा रही थी क्योंकि अब साँस लेने में कठिनाई होने लगी थी। कैप्टेन नेमो अचानक पीछे की ओर घूमा। अपने मजबूत हाथों से उसने मुझे एक धक्का मारकर नीचे गिरा दिया। मैं स्तब्ध हो गया। कैप्टेन ने मुझे इस प्रकार क्यों गिरा दिया इसका कारण भी घबराहट में सोच न सका। परन्तु जब मैंने देखा कि कैप्टेन स्वयं भी अपने साथियों के साथ इस प्रकार मेरी बगल में नीचे लेट गये हैं तब मेरी घबराहट कम हुई। परन्तु इस प्रकार लेटने का कारण फिर भी समझ में नहीं आया।

मैंने ऊपर की ओर देखा तो काले बादलों की तरह दो शार्क मछलियाँ जा रही थीं। ये मछलियाँ इतनी विशाल होती हैं कि साधारण मनुष्य को वह एक ही कौर में निगल जाती हैं। मैं उनका सुन्दर रुपहला पेट एवं भयानक दाँत वाला मुँह ही देख सका। हमारे और उन लोगों के बीच सौभाग्य से एक छोटा-सा पौधा आ गया। शार्क मछली की नजर बहुत कमजोर होती है। इसलिये वे दोनों हम लोगों के ऊपर होकर निकल गयीं। हम लोग खड़े हो गये।

आधे घंटे में हम लोग नोटिलस के पास पहुँच गये। बाहर का दरवाजा खोल दिया गया और हम लोग अन्दर घुसे। तुरन्त पंप चालू हो गये और हम लोग जिस टंकी में खड़े थे उसका पानी निकल गया। फिर टंकी का ऊपर का ढक्कन खुला और हम लोग जहाज में चढ़ गये। कपड़े उतारकर सीधे खाने की मेज पर चले गये और उसके बाद दिन भर की थकान उतारने के लिये बिस्तर पर गहरी नींद में सो गये।

11

दूसरे दिन जब मैं उठा तब मेरी सारी थकान उतर गयी थी। उठकर तुरन्त मैं जहाज के डेक पर गया। चारों ओर पानी ही पानी दिखाई पड़ रहा था। कहीं पर जमीन या जहाज नहीं थे। क्रेस्पो द्वीप भी दिखाई पड़ना बन्द हो गया। मैं काफी देर तक समुद्र की तरंगों को देखता रहा। कुछ देर में कैप्टेन नेमो ऊपर आया। उसके साथ कुछ और आदमी भी थे। किसी को भी उनके चेहरे से नहीं पहचाना जा सका परन्तु यह स्पष्ट था कि सभी योरोप निवासी थे। ये लोग बहुत कम बोलते थे और जो बात करते थे वह किसी विचित्र भाषा में।

उन आदमियों ने समुद्र में जाल फेंके। कुछ ही देर में तरह-तरह की मछलियाँ जाल में चली आयीं।

सभी लोग धीरे-धीरे नीचे उतर गये। कैप्टेन नेमो अब मेरी ओर घूमा और बोला, ''प्रोफेसर, समुद्र कितना अद्भुत होता है। क्या आपको ऐसा नहीं महसूस होता कि सच्चा जीवन यही है? मानो हम लोगों की तरह समुद्र भी रात भर सोकर अभी निद्रा से जगा हो?''

कैसा विचित्र व्यवहार था इस व्यक्ति का? बगैर भूमिका के सीधे बात शुरू कर देता है।

''देखिए, सूर्य की किरणें सहलाकर उसे धीरे-धीरे जगा रही हैं। इतना कहकर वह काफी देर तक निर्निमेष समुद्र को देखने लगा।

नीचे उतरकर कैप्टेन नेमो अपने कमरे में गया। मैं भी अपने कमरे में गया। हमारा जहाज घंटे में 20 मील की रफ्तार से आगे बढ़ने लगा। दो-तीन सप्ताह तक लगातार यात्रा चालू रही। बीच में कोई विशेष घटना नहीं घटी। मैं केवल दीवान खाने की खिड़कियों से चित्र-विचित्र मछलियाँ एवं अन्य जानवर देखा करता था।

X X X

सन् 1868 की प्रथम सुबह हुई। जल्दी उठकर मैं जहाज के डेक पर समुद्र की सुन्दर हवा का आनंद ले रहा था। पीछे से कोन्सील ने आकर मुझे नये वर्ष की मुबारकबाद दी।

'मैं भी तुम्हें मुबारकबाद दे रहा हूँ।'' मैने कहा, ''परन्तु हमारा यह नया वर्ष कैसा बीतेगा यह नहीं कहा जा सकता। आशा तो यही है कि वह अच्छा बीतेगा।''

''जी हाँ! जब जहाज में हम लोग कैद हुए थे तब कप्तान हम लोगों को भयानक व्यक्ति दिखाई पड़ रहा था परन्तु अब मानों हम लोग जहाज के यात्री हों इस प्रकार घूम रहे हैं।

"नेड का क्या विचार है?"

"नेड मुझसे बिल्कुल विपरीत राय रखता है। प्रथम उसे यहाँ का खाना ही अच्छा नहीं लगता है। फिर इस प्रकार दिन भर बंद रहना उसे कैसे पसंद आ सकता है? उसे मछलियों में दिलचस्पी अवश्य है परन्तु वह केवल भोजन तक। मेरा समय तो आपके साथ विभिन्न प्रकार की मछलियों को देखने में कट जाता है।"

"मुझे अब यहाँ अच्छा लग रहा है। लग रहा है कि मैं किसी बड़े संग्रहालय में अध्ययन कर रहा हूँ। केवल परेशानी इस बात की है कि नये वर्ष के उपलक्ष्य में मैं तुम्हें कोई वस्तु भेंट नहीं कर सकता।"

"परन्तु मैं आपसे किसी भेंट की आशा नहीं करता।"

जनवरी की चौथी तारीख को हमें पापुआ द्वीप का किनारा दिखाई पड़ा। कैप्टेन नेमो ने मुझसे कहा था कि उसका विचार टोरस के जल-डमरुमध्य होकर हिन्द महासागर में प्रवेश करने का था।

टोरस के जल-डमरुमध्य में किसी भी जहाज का घुसना दुनिया के किसी भी साहसिक नाविक के लिये कठिन कार्य था। उसमें इस प्रकार की मजबूत नोकदार चट्टानों की कतारें हैं जो मजबूत से मजबूत जहाज को भी बीच से चीर सकती हैं। कितने ही जहाज उस खाड़ी के गर्भ में विराजमान थे। इसके अतिरिक्त इस जगह के जंगली लोग भी काफी भयंकर थे। पापुआन लोग दुनिया के कट्टर मनुष्य भक्षी के नाते प्रख्यात हैं।

नोटिलस इन सब खतरों की उपेक्षा करके टोरस जल-डमरुमध्य की ओर आगे बढ़ रहा था। यों तो यह खाड़ी लगभग एक सौ मील आकार की है फिर भी बीच-बीच में कई, छोटे-छोटे द्वीप स्थित हैं। कैप्टेन नेमो बहुत सम्हल कर अपने जहाज को लिये जा रहा था। जहाज की गति भी कम कर दी गयी थी।

इर्द-गिर्द समुद्र काफी तूफानी था। मानों छोटी-सी जगह से परेशान होकर पानी छलाँगे ले रहा हो और इस प्रकार पूरा जहाज हिल रहा था।

एकाएक जोर से एक झटका लगा और नोटिलस रुक गया।

अँग्रेजी के 'वी' आकार जैसी एक चट्टान की दो दीवारों के बीच वह धँस गया था।

मैं जहाज के डेक के ऊपर पहुँच गया। कैप्टन नेमो मेरे पहले ही वहाँ था।

"क्यों कैप्टेन महोदय! कोई दुर्घटना हुई है?"

"नहीं-नहीं, दुर्घटना कुछ भी नहीं है, साधारण बात है।"

"ठीक, फिर भी यह बात ऐसी है कि अब समुद्र में आप इस जहाज से यात्रा नहीं कर सकते। जहाज पूरा फँस गया है।"

"नहीं ऐसी बात नहीं है, प्रोफेसर साहब! अभी इसी जहाज में बैठकर आपको मेरे साथ काफी लंबी यात्रा करनी है। अभी तो यात्रा शुरू ही हुई है।"

"जी हाँ! परन्तु आप जानते हैं कि प्रशांत महासागर में लहरें अधिक तेजी से नहीं आती हैं। इसलिये जब तक यह जहाज काफी हल्का न कर दिया जाये तब तक फिर तैर नहीं सकता।"

"आपकी बात कुछ हद तक ठीक है, परन्तु इस टोरस के जल डमरुमध्य में ज्वार एवं भाटा के बीच पाँच फुट का अंतर होता है। आज 4 जनवरी है। पाँच दिन बाद पूर्णिमा होगी। तब ऐसा ज्वार होगा कि मेरा जहाज अपने आप बाहर आ जाएगा। हम लोगों को केवल पाँच ही दिन की प्रतीक्षा करनी होगी।"

कैप्टेन नेमो नीचे गया। नेडलैन्ड मेरे समीप ही खड़ा था। कैप्टेन के जाने के बाद वह बोल उठा, "कहिए प्रोफेसर साहब! यह कुछ ठीक नहीं हुआ!"

"हाँ, अभी पाँच दिन तक तो हमें यहाँ आराम करना है।" मैंने उत्तर दिया।

"मेरी राय में अब हमें यहाँ हमेशा के लिये आराम करना होगा।"

"नहीं, नहीं, कैप्टेन का कहना गलत नहीं हो सकता।"

"अरे, कैप्टेन तो क्या बड़ों-बड़ों की बात यहाँ गलत हो जाएगी। परन्तु यह हमारे लाभ की बात है।"

"कैसे?"

"जहाज से भाग जाने का यह बहुत ही अच्छा मौका है।"

"नेड, तुम नहीं जानते हो कि इस जगह से भागने का नतीजा क्या होगा। अगर यहाँ से भागकर हम लोग पपुआ टापू में जाते हैं तो वहाँ हम लोगों के शरीर की दावत उड़ाने वाले पापुअन लोग तैयार होकर बैठे होंगे। उससे तो यहाँ पर ही अच्छा है। यह कोई इग्लैंड या फ्रांस का किनारा नहीं है। यहाँ से भागना आफत मोल लेने के बराबर है।"

"तो कोई बात नहीं, परन्तु यह पाँच दिन यदि हम लोग इस द्वीप पर घूम-फिर लें तो अच्छा हो।'

"हाँ यह ठीक है! बहुत दिनों से जमीन पर पैर नहीं रखा है। यह बहुत अच्छा होगा।" कोन्सील ने नेड के प्रस्ताव का समर्थन किया।

"ठीक, मैं कप्तान से पूछ लूँ।" मैंने कहा।

"इसमें भी पूछना होगा?"

"हाँ!"

मैं कप्तान के पास पूछने गया। मुझे तो डर था कि कप्तान इन्कार कर देगा। उल्टे कप्तान ने हाँ ही नहीं की, बल्कि घूमने के लिये पूरी सुविधा दे दी। उसने

मुझसे समय के अंदर वापस आने का वचन ले लिया।

हम लोगों को एक छोटी सी नाव दी गयी। नेड आनंद से पागल हो गया। दूसरे दिन सुबह सब तैयारियाँ करके हम तीनों नाव में बैठ गये। नेड नाव चला रहा था। जहाँ बड़े-बड़े जहाज बीच से कट जा सकते हैं वहाँ हम लोगों की छोटी-सी नाव बड़े मजे से जा रही थी।

नेड के मजबूत हाथों में डाँड़ पानी को काटते-फाड़ते कुछ देर में नाव किनारे पहुँच गयी।

लगभग साढ़े आठ बजे हम लोगों ने जमीन पर पैर रखे।

12

सबसे आगे नेड जमीन पर कूद पड़ा। हम लोगों के पास शिकार के लिये बंदूकें थीं ही। नेड को इस द्वीप में केवल शिकार तक ही दिलचस्पी थी। मुझे और कोन्सील को उसकी जमीन, वनस्पति एवं पक्षियों को देखने में भी बहुत आनंद मिला। कोन्सील बन्दर की भाँति बड़े-बड़े नारियल के पेड़ पर चढ़ जाता था और नारियल गिराता था। उसका सुस्वादु बढ़िया पानी एवं गिरी खाने में बहुत मजा आता था। नारियल का स्वाद नेड जैसे को माँस मछली भी भुला देने वाला था। हम लोगों ने निश्चय किया कि कुछ नारियल नाव में भर लिये जायें। चारों ओर देखते-देखते हम लोग उस द्वीप के जंगल में अन्दर की ओर घुसने लगे। कहाँ से और कब जंगली लोग या कोई हिंसक जानवर आ जाएँगे उसका भी कोई पता नहीं था। रास्तें में तरह-तरह के खूबसूरत पक्षियों को भी देखने में बड़ा आनन्द मिला। कोन्सील एक बहुत ही सुन्दर पक्षी को पकड़कर मेरे पास लाया। वह जिन्दा था और लगभग नौ इंच लम्बा था। तरह-तरह के सुन्दर रंग उसके शरीर पर चित्रित थे। मुझे आश्चर्य हुआ कि कोन्सील ने उसे जिन्दा किस प्रकार पकड़ा। परन्तु बाद में पता चला कि यह पक्षी किसी प्रकार का फल खाकर नशें में आ जाता है और जब वह नशे में होता है तब उसे होश नहीं रहता। यदि उस समय वह उड़ना चाहे भी तो सफल नहीं हो सकता। कोन्सील ने मौका पाकर उसे पकड़ा था।

नेड ने भी दो-चार पक्षियों का शिकार किया था। अब शाम हो रही थी। संध्या को हम लोग एक बड़े पेड़ के नीचे कुछ देर के लिये आराम करने बैठे। रात को हमें जहाज पर पहुँच ही जाना था क्योंकि रात यहाँ पर बिताना खतरें से खाली नहीं था। परन्तु जितनी देर ज्यादा जमीन पर रहें उतना अच्छा! बाद में जहाज की

कोठरियों में तो जिन्दगी भर रहना ही है। यह सोचकर हम लोग वहाँ बैठे। जंगलों के वृक्षों के बीच सुमधुर आवाज करता हुआ ठंडा पवन बह रहा था। चारों ओर पूरी शान्ति थी। किनारे से दूर मानो कोई समुद्री प्राणी आराम कर रहा हो, इस प्रकार नोटिलस पड़ा हुआ था। सूर्य धीरे-धीरे डूब रहा था। इस सुन्दर दृश्य को देखकर नोटिलस के कैदखाने में वापस जाने की इच्छा नहीं हो रही थी।

"मान लो कि आज की रात हम लोग यहाँ काट लें और जहाज पर न जाएँ?" कोन्सील ने कहा।

"और मान लो कि हम लोग हमेशा के लिये यहाँ पर रहें?" नेड आगे बढ़ा।

ठीक उसी समय हम लोगों के बगल में एक पत्थर आकर गिरा। बात वहीं समाप्त हो गयी। जो लोग नाश्ता कर रहे थे वह भी रुक गये और आश्चर्य से इधर-उधर देखने लगे।

"यह पत्थर आकाश से तो गिरा नहीं होगा" कोन्सील ने कहा।

दूसरा पत्थर ठीक कोन्सील के हाथ पर पड़ा। हाथ में से नारियल की गिरी गिर गयी।

हम तीनों खड़े हो गये। बंदूकें कंधे पर रख लीं।

"बन्दर तो नहीं है।" नेड ने कहा।

"बन्दर न हों तो उनके भाई ही सही। यहाँ के जंगली लोग ही होंगे।" कौन्सील ने कहा।

"चलो हम लोग नाव पर चलें! दूसरा कोई रास्ता नहीं है।" मैंने कहा।

हम लोगों ने पीछे देखा कि लगभग बीस जंगली लोग पेड़ों के आगे दिखाई पड़े। पत्थर भी वहीं से बरस रहे थे।

काफी कठिनाई से हम लोगों ने खाना इकट्ठा करके जहाँ नाव बँधी थी वहाँ पहुँच गये। नाव छोड़ दी गयी। कुछ ही दूर नाव गयी होगी कि चिल्लाते हुए लगभग एक सौ व्यक्ति पानी में कूद पड़े। मैंने सोचा कि इतना हल्ला-गुल्ला सुनकर शायद नाटिलस वालों का भी कुछ ध्यान आकर्षित हुआ हो। परन्तु वहाँ डेक पर कोई भी न दिखाई पड़ा लगभग बीस मिनट में हम लोग जहाज पर पहुँच गये और डेक पर चढ़कर दरवाजा खोलकर अन्दर घुसे। मैं सीधे ड्राइंग रूम में गया। कैप्टेन नेमो वहाँ पर बैठा हुआ आर्गन बजा रहा था। वह अपना बाजा बजाने में इतना मशगूल था कि मैंने उसे एक बार बुलाया तो उसने कुछ भी न सुना। दुबारा जरा जोर से आवाज दी तब उसने मेरी ओर देखकर पूछा, "कहिए प्रोफेसर। क्या कोई नयी खोज की?"

"जी हाँ! खोज तो बड़ी भारी हुई, साथ ही बड़ी विचित्र भी हुई है। परन्तु

वह हमारे लिये बड़ी महँगी पड़ेगी।''

''किसी वस्तु की खोज की है?''

''यहाँ के जंगली लोगों की।''

''अच्छा! तो यह कहिए कि यहाँ के लोगों ने हम लोगों की खोज की है।''

''हाँ! इतना ही नहीं। वे लोग हमला करने की तैयारियां कर रहे हैं। हम लोगों को उन लोगों का कुछ प्रसाद भी मिला।''

''कोई हर्ज नहीं! परन्तु जब हम लोग उन लोगों की बगैर इजाजत यहाँ आये तो उन लोगों को भी हमला करने का अधिकार है ही। यदि वे लोग हम लोगों के देश में आये होते तो क्या हम लोग उन्हें किनारे उतरने देते?''

''यह ठीक है, लेकिन ये लोग जंगली हैं।''

''दुनिया में कौन जंगली नहीं है।'' इतना कहकर कैप्टेन नेमो तिरस्कार से कुछ हँसा। मैं उसके कथन को समझ नहीं सका। ''फिर भी हमें उनसे सावधान हो जाना चाहिए।'' मैंने राय दी।

''कोई हर्ज नहीं! मेरे जहाज को वे लोग उँगली से छू भी नहीं सकते।''

''परन्तु वे लोग काफी संख्या में हैं।''

''कितने होंगे?''

''लगभग एक सौ!''

''प्रोफेसर! यदि इस पापुआ द्वीप की समस्त आबादी इकट्ठी होकर भी मेरे इस जहाज पर आक्रमण करे, तब भी उसका कोई कुछ भी नहीं बिगाड़ सकता।'' इतना कहकर उसने अपना आर्गन फिर बजाना शुरू कर दिया। मैं उससे अब और क्या कह सकता था? मुझे लगा, यह व्यक्ति अपने जहाज के अभिमान में अपनी ही नहीं, हम लोगों की जान भी व्यर्थ में ले लेगा।

रात हो चुकी थी। मुझे नींद आ रही थी। कुछ देर बाद फिर जहाज के ऊपर गया। आकाश में तारे टिमटिमा रहे थे।

मुझे लगभग बारह बजे नींद आयी। सुबह उठकर डेक पर जाकर देखा तो किनारें पर लगभग 500-600 व्यक्ति हाथ में तीर-धनुष लेकर चिल्लाते हुए खड़े थे। वे ठेठ पापुअन थे। उनके विशाल माँसल शरीर, चौड़ा मत्था, चपटी नाक, सफेद दाँत, गुच्छेदार बाल, साफ दिखाई पड़ रहे थे। पुरुषों के साथ स्त्रियाँ भी थीं। उनमें से एक सरदार जैसा व्यक्ति कुछ देर आगे आकर नाटिलस को ध्यान से देख रहा था। उसके शरीर पर हड्डियों के जेवर शोभायमान थे।

मैं उसे आसानी से बंदूक से मार सकता था परन्तु यह ठीक न समझा।

कुछ देर तक वे लोग जहाज से कुछ दूर रहकर पानी में घूमते रहे।

हाथों से इशारा करके वे लोग हमें अपने पास आने का शायद आमंत्रण दे रहे थे। यह स्पष्ट है कि मैंने उनके आमंत्रण को स्वीकार नहीं किया।

नेड को दुख हुआ कि आज नाव पर बैठकर जमीन पर नहीं उतर सकेंगे।

लगभग ग्यारह बजे समुद्र के पानी को ऊपर चढ़ता हुआ देखकर वे लोग अपने द्वीप चले गये। इसीलिये मैं और कोन्सील उस चट्टान पर सीप, शंख आदि एकत्रित करने उतर पड़े। मैं एक ओर बीन ही रहा था कि कोन्सील बहुत ही खुश होता हुआ मेरे पास आया और कहने लगा–"देखिए! देखिए! इसे देखिए।"

उसके हाथ में का शंख बहुत बड़ा था। मेरी समझ में नहीं आया कि उसमें कौन-सी विशेषता है कि कोन्सील इतना खुश हो रहा है। कुछ क्षण के लिये इसका कारण मैं न जान सका। परन्तु जब मैंने गौर से उसे देखा तब ज्ञात हुआ कि वह शंख ऐसा था कि जिसके लिये लोग हजारों रुपए तक खर्च कर सकते थे। साधारण तौर पर प्रकृति के सभी घुमाव दाहिनी से बायीं ओर घूमते हैं। मनुष्य भी बायें हाथ से दाहिना हाथ ज्यादा प्रयोग में लाता है। शंख के निर्माण में भी प्रकृति के इस साधारण नियम का पालन होता है। शंख के भीतर जानेवाली रेखाएँ साधारणतः दाहिनी से बायीं ओर जाती हैं, परन्तु कोन्सील के हाथ का शंख इससे बिल्कुल उल्टा था। इस शंख द्वारा मेरे संग्रहालय में एक बहुत कीमती वस्तु की वृद्धि होगी, यह सोचकर मैं बहुत खुश हो ही रहा था कि एक पत्थर सन् करता आया और कोन्सील के हाथ पर के शंख पर गिरा और वह शंख टूट गया।

इससे मुझे बहुत ही दुख हुआ। कोन्सील ने मेरे हाथ की बन्दूक छीन ली और जब तक मैं उसे रोकूँ तब तक उसने गोली चला दी, जो जंगली की कलाई पर लगी। उसका हाथ लटक गया।

मैं चिल्लाया, "अरे! यह क्या किया।"

"श्रीमान् जी! इन लोगों ने हमला शुरू कर दिया है। मैं और कर ही क्या सकता था?"

"एक शंख के कारण कहीं किसी की जान ली जाती है?" मैंने कोन्सील से कहा।

"यदि मैंने यह न किया होता तो वह दुष्ट मेरे हथियार तोड़ डालता।"

कुछ ही क्षणों में परिस्थिति बदल गयी। लगभग बीस नावें किनारे पर से छूटकर नाटिलस की ओर आने लगीं। ये नावें पेड़ के बड़े तने को खोखला करके बनायी गयी थीं। चलने में काफी तेज थीं। इन जंगलियों का सम्बन्ध कभी यूरोपीय लोगों से अवश्य रहा होगा तथा उनके जहाज भी उन लोगों ने अवश्य देखे होंगे। पहले तो ये लोग थोड़ी दूर रहे, परन्तु यह देखकर कि नाव चल नहीं रही है, अपनी नावों

को नाटिलस के पास ले गये। मेरे पास विद्युत की गोली चलानेवाली बन्दूक थी। परन्तु उसमें आवाज न होने के कारण उनको मारा जा सकता था, डराया नहीं जा सकता था।

उनकी नावें नाटिलस के पास आकर बाणों की वर्षा करने लगीं।

''यह बाण विष में बुझे भी हो सकते हैं।'' कोन्सील ने कहा।

''अव कैप्टेन नेमो को इसकी सूचना देनी चाहिए।'' मैंने सोचा।

मैं नीचे दीवानखाने में गया परन्तु वहाँ कोई न मिला। इसीलिये मैं कैप्टेन नेमो के निजी कमरे में गया। कैप्टेन नेमो अपनी मेज पर बैठ कर गणित के सवाल हल कर रहा था।

''शायद मैं आपके काम में विघ्न डाल रहा हूँ।'' मैंने घुसते ही कहा।

''हाँ। परन्तु आप कोई बहुत ही आवश्यक कार्य से आये होंगे।'' उसने कहा।

''अत्यावश्यक! थोड़ी ही देर में लगभग छः सौ व्यक्ति हम लोगों के जहाज में घुस जाएँगे।''

''क्या वे लोग बिल्कुल करीब आ गये?''

''हाँ।''

"तब हम लोग ऊपर के दरवाजे बन्द कर दें।"

"हाँ! यही मैं कहने आया था।"

"इसमें कोई दिक्कत नहीं है।" कहकर कैप्टेन ने मेज पर रखी बिजली की घण्टी बजाई और यह समाचार खलासियों को दे दिये।

"चलिये! सब नावें अन्दर आ गयी हैं। सब खिड़कियाँ एव दरवाजे बन्द हो गये हैं। अब वे लोग अन्दर नहीं आ सकते!" कैप्टेन नेमो ने कहा।

"परन्तु अभी एक दिक्कत और है।"

"वह क्या?"

"यह कि कल सुबह ताजी हवा लेने के लिये खिड़कियाँ खोलनी ही पड़ेंगी और उस समय वे लोग अन्दर घुस आएँगे तो?"

"तो मैं उन्हें मना कैसे कर सकता हूँ।"

यह सुनकर मैं चुप हो गया। मैं वापस जाने वाला ही था कि कैप्टेन नेमो ने मुझसे मेरी यात्रा के बारे में पूछा। मैंने उन्हें पूरा हाल बता दिया। मैंने यह भी बताया कि इसी जलडमरूमध्य के बीच बहादुर नाविक ड्रमाण्ड उरविल मर गया था।

"वह बड़ा ही होशियार नाविक था। साथ ही बहादुर भी था। दक्षिणी तरफ के किनारे ओसीनिया की मूँगे की चट्टानें एवं प्रशान्त महासागर के मनुष्य भक्षी समस्त विश्व में प्रसिद्ध हैं। वह भी कैसा अभागा था। इस समय यदि वह जिन्दा होता तो क्या कहना था?" कहते हुए कप्तान उदास हो गया। नक्शे पर कप्तान ने उसके द्वारा की गयी समस्त खोज उँगली से बतायी।

कप्तान ने कहा, "उसने समुद्र की लहरों के ऊपर वही किया जो आजकल मैं समुद्र के भीतर कर रहा हूँ।"

"मेरी राय में नाटिलस तथा ड्रमांड उरविल के लड़ाकू जहाजों में एक बात समान थी।" कप्तान ने आगे कहा।

"वह क्या?"

"यह कि नाटिलस भी उन्हीं की तरह फँसी हुई है। नाटिलस स्थिर नहीं है। उसका निर्माण पानी के अन्दर चलने के लिये हुआ है। ड्रमांड को यह कठिनाई भी थी वह अपने जहाजों को पानी के भीतर नहीं ले जा सकता था। नाटिलस को यह सुविधा है। कल नियत समय पर ज्वार से समुद्र की लहरें उठेंगी और नाटिलस सागर के पानी में उतराने लगेगी।"

"इसमें कोई शक नहीं है।" मैंने उत्तर दिया।

कप्तान ने निश्चयात्मक आवाज में कहा, "कल ढाई तीन बजे शाम को नाटिलस समुद्र में उतराने लगेगी और हम लोग बगैर किसी हानि के इस जलडमरूमध्य को

नमस्ते करेंगे।"

"क्या आपको मेरी आवश्यकता पड़ेगी?"

"नहीं तुम भी सो जाओ।"

कोन्सील अपने कमरे में चला गया।

मैं लेट गया, परन्तु नींद नहीं आयी। बाहर से जंगली लोगों की आवाज स्पष्ट सुनाई पड़ रही थी। नाटिलस के लोहे के किले को भेद कर वे लोग अन्दर नहीं आ सकते थे फिर भी मुझे ऐसा भ्रम होता कि वे लोग दरवाजा खोल अन्दर घुस जाएँगे।

लगभग छः बजे मैं उठा। अभी दरवाजे खुले नहीं थे। हवा की टंकियाँ भरी थीं इस कारण ताजी हवा की कमी नहीं थी। आज समुद्र में पूरा ज्वार उठने वाला था। लगभग ढाई तीन बजे हम लोगों का जहाज भी छूटने वाला था। परन्तु अभी कोई तैयारी नहीं हो रही थी। मैं ड्राइंग रूम में गया।

ढाई बज गये। कुछ देर में हमारा जहाज चलना चाहिए। दूसरे ही क्षण मूँगों की चट्टानों से टकराता हुआ जहाज ऊपर उठने लगा।

कुछ देर में कैप्टेन नेमो ड्राइंग रूम में आया और कहने लगा, "हम लोग चल रहे हैं।"

आश्चर्य से मेरे मुँह से निकल पड़ा "अच्छा!"

"हाँ! और जहाज के दरवाजों को भी खोल देने का आदेश मैंने दे दिया है।"

"उन जंगली लोगों का क्या हुआ? क्या वे लोग अन्दर घुस नहीं आएँगे?"

"आप नहीं जानते कि इस जहाज के दरवाजे खुले रहने पर भी बगैर मेरी इजाजत के कोई अन्दर नहीं घुस सकता।"

"यह कैसे?" मैंने कहा।

"आप ऊपर चलिये। वहीं मैं बताऊँगा।"

हम लोग ऊपर गये। कोन्सील और नेडलैण्ड भी अपने कमरे के आगे खड़े थे, साथ हो गये। ऊपर पहुँचते ही हमें पचास साठ भयानक चेहरे दिखाई पड़े। परन्तु उनमें के सरदार जैसे लगते, एक ने जैसे ही जहाज के दरवाजे पर हाथ रखा वह दूर पानी में जाकर गिर पड़ा। उसके पीछे-पीछे कुछ और भी जंगली लोग चढ़ने लगे उनका भी वही हाल हुआ। हम लोग आश्चर्य-चकित हो गये। नेडलैण्ड ने परीक्षा करने के लिये अपना हाथ दरवाजे पर रखा कि उसे इतना तेज धक्का लगा कि वह सीढ़ी के नीचे गिर पड़ा। वह जोर से चिल्लाया, "यह तो बिजली का धक्का है।"

बात मेरी समझ में आ गयी। एक धातु के तार पर बिजली दौड़ाई गयी थी।

जो कोई उसे छूता था उसको जोर का धक्का लगता था। यदि कहीं कप्तान ने सारी बिजली दौड़ाई होती तो सबके सब मर गये होते। कप्तान ने अपने और शत्रुओं के बीच बिजली का तार फैला रखा था। उसे पार करके कौन अन्दर आ सकता था?

इस चमत्कार से पापुअन लोग खूब घबड़ाए और डर कर किनारे की ओर भाग गये। हम लोगों की हँसी रुक न रही थी।

उसी क्षण हम लोगों का जहाज पूरा ज्वार आ जाने के कारण चट्टान से ऊपर आ गया। पंखे चालू हो गये और कुछ देर में नाटिलस जलडमरूमध्य के खतरनाक रास्ते को पार करके खुले समुद्र में दौड़ने लगा।

13

दूसरे दिन नाटिलस ने अपनी यात्रा फिर प्रारम्भ कर दी। इस समय वह काफी तेज चल रही थी। मेरी राय में वह 35 मील प्रति घण्टे की रफ्तार से जा रही थी। कल की घटना से मैं परेशान था। वह व्यक्ति विद्युत का किस प्रकार प्रयोग कर रहा है? उससे वह अपना जहाज चलाने के साथ ही दुश्मनों को भगाने के लिये भी प्रयोग में लाता है। उसके जहाज में इतनी शक्ति है कि कोई उसकी बगैर इच्छा के छू नहीं सकता।

13 जनवरी को कैप्टेन नेमो टिमोर समुद्र में पहुँच गये। वहाँ हम लोग टिमोर द्वीप को साफ-साफ देख रहे थे। इस द्वीप पर अनेक राजा राज्य कर रहे हैं। ये लोग अपने को मगर की सन्तान बताते हैं और मगर की पूजा करते हैं। त्योहारों के अवसर पर छोटी-छोटी लड़कियाँ तथा अन्य भोजन भेंट चढ़ाते हैं। जो कोई मगर को मारने का प्रयत्न करता है उसे पर्याप्त दण्ड भी दिया जाता है।

जहाज उसके बगल से होकर निकल गया। मुझे बहुत इच्छा हुई कि मैं वहाँ के लोगों को देखूँ परन्तु लाचार था। हम लोग द्वीप को दूर से ही देख सके।

यहाँ से जहाज नैऋत्य (दक्षिण-पश्चिम) कोण की ओर बढ़ने लगा। कप्तान का विचार हिन्द महासागर में घुसने का था। वहाँ से किस ओर जाना चाहता था? क्या वह हिन्द महासागर होकर भूमध्य समुद्र में जाएगा या योरोप के किनारे-किनारे घूमेगा? नहीं, नहीं, मनुष्य की आबादी से वह दूर ही रहेगा। तो क्या वह दक्षिण ध्रुव की ओर जाएगा? और वहाँ से बहुत बड़े प्रशान्त महासागर में घूमेगा? इस सम्बन्ध में निश्चित रूप से कुछ भी न कहा जा सकता था।

कैप्टेन नेमो समुद्र की विभिन्न गहराइयों में तरह-तरह के प्रयोग कर रहा था। इन प्रयोगों के लिये वह कई प्रकार के पेचीदे यन्त्रों का उपयोग करता था।

परीक्षण से ज्ञात हुआ है कि समुद्र के अन्दर सभी अक्षांशों में 4.5 अंश गर्मी प्रति 1000 मीटर की गहराइयों में घटती जाती है।

मैंने भी गौर से इन परीक्षणों को देखा। मैं अक्सर कप्तान से पूछा करता था कि वह अधिक से अधिक कितनी गहराई तक प्रयोग करेगा? क्या यह परीक्षण वह अपने साथियों के लिये कर रहा है? उससे क्या लाभ होगा? नाव एवं नाविक कभी न कभी समुद्र में नष्ट हो जाएँगे। उनकी खबर किसी को भी न लग सकेगी। फिर इन प्रयोगों का क्या उपयोग हो सकता है?

कप्तान ने मुझे विश्व के सभी महासागरों के सम्बन्ध में अलग-अलग गणनाएँ बतायी। मैंने अपने भी परिणाम निकाले।

15 जनवरी को जब मैं तथा कैप्टेन नेमो नाव के डेक पर घूम रहे थे, कैप्टेन ने मुझसे पूछा, ''क्या आप भिन्न-भिन्न समुद्रों के जल का घनत्व जानते हैं?'' मैंने कप्तान से कहा, ''अभी इस विषय सम्बन्धी ज्ञान में पर्याप्त कमी है।''

कैप्टेन ने कहा, ''मैंने तत्सम्बन्धी कई प्रयोग किये हैं और जिन परिणामों पर मैं पहुँचा हूँ वे सही हैं।''

''नाटिलस की दुनिया निराली है परन्तु इस ज्ञान को विश्व नहीं जान सकता।'' मैंने उत्तर दिया।

कुछ देर रुक कर कप्तान ने कहा, ''प्रोफेसर आप ठीक कहते हैं! नाटिलस की दुनिया निराली है। विश्व से इतनी ही दूर है जितने सूर्य-चन्द्र आदि ग्रह! भाग्यवश मेरा पृथ्वी तथा समुद्र दोनों से सम्बन्ध रहा है।''

कुछ दिनों तक मैं समुद्र की गहराइयों में नमक का परिमाण, विद्युत शक्ति, पारदर्शित रंग आदि के सम्बन्ध में परीक्षण करता रहा। कैप्टेन नेमो ने भी मुझे इसमें काफी सहायता दी। इसके बाद कुछ दिन के लिये कैप्टेन फिर गायब हो गया। मैं अकेला रह गया।

16 जनवरी को नाटिलस स्थिर हो गया। मुझे लगा कि जहाज में कुछ मरम्मत की आवश्यकता पड़ी होगी। कुछ देर में हम लोगों ने यहाँ भी अद्‌भुत दृश्य देखा। हमारे कमरे की खिड़कियाँ खुली थीं। बत्ती जल नहीं रही थी। फिर भी अन्दर मन्द मन्द प्रकाश आ रहा था। मैंने खिड़की से बाहर देखा तो प्रकाश समुद्र के पानी में काफी दूर तक फैला हुआ था। यह कैसा प्रकाश होगा? कुछ गौर से देखने पर ज्ञात हुआ कि हम लोग फासफोरस से चमकते हुए जल में यात्रा कर रहे हैं। प्रकाश छोटे-छोटे कीड़ों का था, जिनकी रोशनी जहाज से प्रतिबिम्बित होकर और भी तेज हो रही

थी। यह प्रकाश हमारे साधारण प्रकाश जैसा न था। इसमें अधिक शक्ति तथा कम्पन थे। इस प्रकाश के नीचे नाटिलस कई दिन तक चलता रहा।

एक दिन सुबह नियमानुसार मैं डेक पर गया। परन्तु आज कुछ गड़बड़ लग रहा था। कैप्टेन नेमो वहाँ पर पहले से खड़ा था। वह जहाज के दो-तीन खलासियों से विचित्र भाषा में बातचीत कर रहा था। उसके हाथ में दूरबीन थी। वह बार-बार उससे क्षितिज में देख रहा था। मैं भी कौतूहल से अपनी दूरबीन ले आया परन्तु जैसे ही देखने लगा कि उसे पीछे से किसी ने खींच लिया। घूमकर देखा तो वह कैप्टेन नेमो था। इस समय वह पहचाना नहीं जा रहा था। उसकी आँखों से अंगारे बरस रहे थे। वह स्थिर आवाज में मेरी ओर देखकर बोला, "आपको अपने दिये वचनानुसार आज कमरे में बन्द रहना है।"

मैं स्तब्ध हो गया। ऐसी कौन सी घटना होगी? मैंने पूछा, "मुझे कोई एतराज नहीं है, केवल एक प्रश्न..."

मुझे एक व्यक्ति अपने कमरे में ले गया। मेरे दोनों साथी भी वहीं थे। मैंने उनसे सब बातें बतायी। परन्तु वे लोग भी कुछ न समझ सके। कुछ देर में खाना आया। हम लोगों ने आराम से खाना खाया। परन्तु खाने के बाद हम तीनों को नींद आने लगी। हम लोग जबरदस्ती आँखें खोलकर जागने का प्रयत्न करने लगे परन्तु व्यर्थ मुझे लगा हम लोगों को भोजन के साथ नींद की कोई दवा दी गयी होगी। कुछ देर में हम लोग सो गये।

14

दूसरे दिन जग कर मैंने देखा कि मेरे दोनों साथी मेरे कमरे में नहीं थे। मैं भी अपने कमरे में ही पहुँच गया। मेरे शरीर से नशा समाप्त हो गया था। जहाज अपनी साधारण गति से आगे बढ़ रहा था। वह समुद्र की सतह से लगभग 45 फुट नीचे था।

लगभग दोपहर के दो बजे कैप्टेन नेमो मेरे कमरे में आया। मैंने नमस्कार किया। उसने प्रत्युत्तर दिया। परन्तु उसके मुख पर उदासी छाई हुई थी। उसकी आँखें रात भर जगे रहने के कारण लाल थीं। कुछ देर हम दोनों चुप रहे।

बाद में कैप्टेन ने कहा—"प्रोफेसर शायद आप डाक्टरी भी जानते हैं।"

"जी हाँ! मैं डाक्टर तथा सर्जन भी हूँ। मैंने पहले काफी समय तक डाक्टरी की थी।"

"क्या आप एक मरीज को देखकर कोई दवा बता सकते हैं?"

"कहाँ! क्या जहाज पर कोई बीमार है?"

"हाँ!"

हम दोनों चल दिये। मैं सोचने लगा, कहीं कल शाम की घटना से और इस मरीज से कोई सम्बन्ध तो नहीं है। कैप्टेन नेमो मुझे जहाज के किनारे खलासियोंवाले कमरे में ले गया। चारपाई पर एक व्यक्ति पड़ा था। वह केवल बीमार ही नहीं जख्मी भी था। उसके सिर पर पट्टियाँ बँधी हुई थीं।

मैंने उसकी पट्टियाँ खोल दीं। वह व्यक्ति मेरी ओर स्थिर निगाहों से देखने लगा। पीड़ा की एक आह तक उसके मुँह से न निकली। घाव भयंकर था। हड्डियाँ दिखाई पड़ रही थीं। साँस धीमी चल रही थी। नाड़ी क्षीण थी। मैं स्पष्ट देख रहा था कि मौत उसके समक्ष खड़ी थी। मैंने घाव को साफ करके फिर से पट्टी बाँध दी। कप्तान की ओर घूमकर पूछा—"कैप्टेन उसे इस प्रकार की चोट कैसे लगी?"

"इस मनुष्य का सिर नाटिलस की एक मशीन के लीवर के साथ टकरा गया था। आपकी क्या राय है? उसकी हालत कैसी है?"

मुझे उत्तर देने में संकोच हुआ।

"आप निःसंकोच बताइए। यह व्यक्ति फ्रेंच भाषा नहीं जानता।"

"यह व्यक्ति दो घण्टे में मर जाएगा।"

"किसी भी प्रकार यह बचाया नहीं जा सकता।"

"नहीं।"

कैप्टेन नेमो ने अपने दोनों हाथ एक-दूसरे में लेकर जोर से दाबे। कुछ देर में अपनी आँखें पोछ दीं। मैंने उस व्यक्ति की ओर देखा। मृत्यु की छाया धीरे-धीरे उसकी ओर फैल रही थी।

"प्रोफेसर अब आप जा सकते हैं।"

मैं अपने कमरे में गया। मेरा दिल आज भारी लग रहा था। वह समूचा दिन व रात सोचते ही कट गयी। रात को मानों उसके अन्तिम संस्कार के मन्त्र उच्चारित होते हों ऐसा करुण संगीत सुनाई पड़ा। मैंने सोचा वह जरूर मर गया होगा। और उसकी मृत्यु-शय्या पर प्रार्थना हो रही होगी।

दूसरे दिन मैं डेक पर गया। कप्तान नेमो वहाँ पहले से पहुँच गया था। जैसे ही उसने मुझे देखा वह मेरे पास आया।

उसने कहा—"क्या आज समुद्र में घूमने चलेंगे?"

"जैसी आपकी इच्छा।"

"तो आप अपने कपड़े पहन लें, आपके दोनों साथी भी यदि चाहें तो चल सकते हैं।"

मैंने अपने साथियों को तैयार किया। मैं भी कपड़े पहन कर तैयार हो गया। समुद्र में उतरने के दरवाजे के पास और भी लोग खड़े थे। हम लोग उतरे। यहाँ समुद्र की तलहटी और ही प्रकार की थी। यहाँ चमकदार बालू न थी। मूँगे की चट्टान थी। मूँगे के जीव भी प्रकृति की एक बहुत बड़ी विचित्रता है। करोड़ों जीव एक-दूसरे से मिलकर एक नयी दुनिया के निर्माण के लिये सतत यत्न करते रहते हैं। हम लोग उन पर होकर आगे बढ़ने लगे। बीच-बीच में बड़े-बड़े, पौधे, लम्बी-लम्बी घास, कहीं चिकनी घास की गद्दी, सब कुछ बहुत आनन्ददायक था। कहीं-कहीं पौधे पर छोटी-छोटी मछलियाँ पक्षियों की तरह कूद रही थीं। धीरे-धीरे दोनों ओर चट्टानों की कतार आ गयी। उसके बीच होकर कैप्टेन नेमो हम लोगों को आगे ले गया। चट्टान की कतारें खतम हो गयी तथा हम लोग एक घने जंगल में घुसे। अन्त में एक खुले मैदान में पहुँचे और वहीं पर कैप्टेन नेमो रुका। हमने देखा कि हम लोगों के पीछे जो लोग आ रहे थे उनमें से चार ने एक लम्बा बक्स उठा रखा था। यहाँ आकर उन लोगों ने उसे नीचे रख दिया।

उस मैदान के बीच में ही मूँगे का एक बहुत बड़ा 'क्रास' बना हुआ था। कैप्टेन नेमो से इशारा पाकर एक व्यक्ति ने अपनी कमर से तबली निकाली तथा गड्ढा खोदने लगा।

अब मेरी समझ में आया। कल के मरे हुए व्यक्ति की कब्र यहाँ बन रही थी। कैसा विचित्र व्यक्ति है? अपने साथियों का कब्रिस्तान भी स्वयं निश्चित कर रखा है। गड्ढा खुद जाने के बाद विधिवत् मृतक के शरीर को गड्ढे में रखा गया। कप्तान, उनके साथी तथा हम लोग सीने पर हाथ बाँधकर खड़े हो गये और कुछ गीत पढ़े।

इसके बाद कब्र में हीरे जवाहरात आदि डालकर उसके ऊपर खोदी हुई मिट्टी डाली और ढँक दिया। फिर कब्र की परिक्रमा करके हम लोग वापस चल दिये।

लगभग एक बजे हम लोग नाटिलस पर पहुँच गये। मैं कपड़े बदलकर डेक पर गया कि कैप्टेन नेमो मेरे पास आया।

मैंने पूछा, "क्या वह आदमी मेरे कहने के अनुसार रात ही को मर गया था?"

"हाँ! अब वह अपने साथियों के साथ मूँगे के कब्रिस्तान में आराम कर रहा है।"

"कुछ देर कप्तान चुप रहा फिर बोला, "यही हमारा कब्रिस्तान है।"

"कप्तान! आपके मुर्दे शान्तिपूर्वक इसी में शार्क मछलियों से सुरक्षित सोते तो हैं?"

"हाँ! शार्क मछलियों से और आदमियों से भी।" कप्तान ने गम्भीरता से उत्तर दिया।

15

इसी प्रकार समुद्र के भीतर हम लोगों का एवं कैप्टेन नेमो का जीवन कट रहा था। ऐसा नहीं कहा जा सकता था कि हम लोग कैप्टेन नेमो को भली प्रकार पहचान सके हैं। कोन्सील का कहना था कि इस व्यक्ति ने काफी दुःख सहन किया होगा और इसी कारण से वह मनुष्यों से दूर-दूर रहता है। मेरी राय में यह मनुष्य, मनुष्यों से दूर नहीं भाग रहा था परन्तु अपने ऊपर हुए किसी अन्याय का बदला समस्त मनुष्य जाति से लेना चाहता है। मैं यह निश्चय न कर पाया कि इस मनुष्य को अच्छा समझें या बुरा। मुझे समुद्र के भीतर की भव्य समृद्धि देखने की इच्छा थी। अभी हम लोग केवल छः हजार मील ही घूमे थे। मालूम नहीं अभी क्या-क्या देखना बाकी था?

परन्तु मेरे साथी यहाँ से किसी भी प्रकार भाग जाना चाहते थे। मुझे उनका भी साथ देना था। अपनी महत्वाकांक्षा की पूर्ति के लिये दोस्तों को फँसाए रखना क्षुद्र स्वार्थवृत्ति कही जाती। मुझे उनका अनुसरण नहीं बल्कि नेतृत्व ही करना चाहिए था। परन्तु क्या यहाँ से भागने का मौका मिल सकेगा?

हमारा जहाज हिन्द महासागर के स्वच्छ पानी में तेजी से जा रहा था। मैं समस्त दिन कमरे की शीशे की खिड़की द्वारा बाहर कूदती-फाँदती मछलियों को देखने में गुजार देता। कई दिन इसी प्रकार कट गये। समुद्र के पानी में मछलियों का निरीक्षण करते-करते यदि मैं थक जाता तो पढ़ता और यदि पढ़ने से थकता तो सो जाता। कभी-कभी जाल डाल कर तरह-तरह की मछलियाँ इकट्ठी करता। कोई-कोई मछली कैप्टेन नेमो भी लेकर अपने विशाल संग्रहालय की अभिवृद्धि करता। 21 से 23 जनवरी तक हम लोगों का जहाज 24 घण्टे में 750 मील की रफ्तार से आगे बढ़ रहा था। तरह-तरह की मछलियाँ इस जहाज के विद्युत प्रकाश से आकर्षित होकर पीछा करती परन्तु वह जहाज से दौड़ मेंहार कर पीछे रह जाती थीं।

धीरे-धीरे कीलिंग द्वीप दिखाई पड़ने लगा। नेड ने मुझसे पूछा, "अब हिन्दुस्तान का किनारा नजदीक आ रहा है। आपका क्या इरादा है? मेरी राय में आप कप्तान से छुट्टी लेकर इस किनारे पर उतरें। हम लोग हिन्दुस्तान से अपने देश जा सकते हैं।"

"नेड! अभी हमें देखना होगा कि यह जहाज किस ओर जाता है। यदि जहाज हिन्दुस्तान की ओर जाता है तो जैसा मौका होगा वैसे करेंगे। फिर कैप्टेन नेमो से छुट्टी माँगना बेकार है। इस समय हम लोगों को वह पापुआ द्वीप की तरह छुट्टी नहीं देगा।"

"फिर हम लोग उससे बगैर छुट्टी माँगे ही बिदा हों।"

मैं निरुत्तर हो गया। मैं भी मन ही मन नेडलैण्ड की तरह इस कैद से मुक्त होना चाहता था। कीलिंग के द्वीप के बाद हम लोगों के जहाज की गति कुछ मन्द हो गयी। जहाज कभी-कभी समुद्र की तलहटी तक पहुँच जाता था और हम लोग भी अक्सर घूमने निकल पड़ते थे। समुद्र की तलहटी पर तापक्रम 4 फारेनहाइट होता था।

26 जनवरी का पूरा दिन समुद्र की सतह पर काट दिया। चारों ओर पानी ही पानी था। दूर पर एक स्टीमर दिखाई पड़ रहा था। हम लोग तो उसे देख सकते थे परन्तु वे लोग हमें न देख सकते थे।

दूसरे दिन हम लोगों ने विषववत् रेखा को पार करके उत्तरी गोलार्द्ध में प्रवेश किया। जहाज के बगल में ही हम लोगों ने भयानक शार्क मछलियों का झुण्ड देखा। कोई-कोई शार्क जोरों से जहाज की खिड़कियों को काटने का यत्न कर रही थी। उनके भयंकर दाँतों को देखकर जहाज के अन्दर रहते हुए भी हम लोगों के कलेजे काँप जाते थे। नेड के हाथों में शिकार की पुनः खुजली होने लगी। उसे लगा कि डेक पर जाकर हारपून से दो एक शार्क का शिकार करें। परन्तु उतने में नाटिलस आगे बढ़ गया और शार्क पीछे रह गयी।

नाटिलस ने बंगाल की खाड़ी में प्रवेश किया। यहाँ हम लोगों ने एक करुण दृश्य देखा। मनुष्यों एवं जानवरों की लाशें पानी के ऊपर तैरती दिखाई पड़ीं। शायद वह गंगा के साथ बह आयी होंगी। शार्क मछलियाँ उन्हें उदरस्थ कर रही थीं।

यहाँ पर ही हम लोगों ने एक दूसरा चमत्कार देखा। एक जगह समुद्र का पानी दूध की तरह सफेद था। मानों हम लोग 'क्षीरसागर' में पहुँच गये हों। कोन्सील के आश्चर्य का ठिकाना नहीं रहा, उसने पूछा, "यह क्या है?"

मैंने उत्तर दिया—"इसमें आश्चर्य की कोई बात नहीं है। 'इन्फ्यूसोरिया' नामक एक प्रकार के यह सफेद रंग के कीड़े हैं। इस प्रकार के कीड़े मीलों तक फैले हुए होते हैं। मैंने पढ़ा है कि एक बार एक जहाज चालीस मील तक ऐसे क्षीरसागर में से होकर गुजरा था।

28 फरवरी को जब जहाज समुद्र की सतह पर आया तब वह 9^0-4 उत्तरी अक्षांश पर था। पूरब की ओर दो मील दूर ही जमीन थी। वह जमीन हिन्दुस्तान के चरणों के समीप वह कमल की तरह सुशोभित लंका द्वीप की थी।

16

सीलोन (लंका) द्वीप विश्व का सबसे अधिक उपजाऊ स्थान है। मैं इस द्वीप के सम्बन्ध में पुस्तकें ढूँढ़ने के लिये पुस्तकालय में गया। इसी बीच कैप्टेन नेमो अपने नौकर के साथ पुस्तकालय में आये।

कैप्टेन ने मेरी ओर देखकर कहा—"प्रोफेसर ऐरोना, यह सीलोन है और मोतियों के लिये प्रसिद्ध है। क्या आप मोती निकालने का कार्य देखना चाहेंगे?"

"अवश्य।"

"मोती निकालने का कार्य सरल है।" कैप्टेन ने कहा—"परन्तु हम लोग मोती निकालने के स्थान को ही देख सकेंगे न कि निकालने वालों को, क्योंकि मोती निकालने का मौसम अभी शुरू नहीं हुआ है। हम यहाँ से थोड़ी दूर स्थित मनार की खाड़ी की ओर चलेंगे। हम लोग रात तक वहाँ पहुँच जाएँगे।"

कप्तान ने नाव के किसी अधिकारी से अपनी विचित्र भाषा में कुछ कहा। वह वहाँ से बाहर चला गया और तुरन्त ही नाटिलस समुद्र में 30 फुट की गहराई में दौड़ने लगी।

मैंने नक्शे में मनार की खाड़ी देखी। यह खाड़ी, लंका एवं उसके उत्तर पश्चिम स्थित मनार द्वीप के बीच है। वहाँ जाने के लिये हमें लंका के समस्त पश्चिमी तट की यात्रा करनी पड़ी।

कैप्टेन नेमो ने कहा—"प्रोफेसर, मोती निकालने का कार्य बंगाल की खाड़ी हिन्द महासागर, चीन एवं जापान के समुद्र, पनामा की खाड़ी एवं कैलिफोर्निया की खाड़ी में किया जाता है। परन्तु लंका जैसा उत्तम काम कहीं नहीं होता। हम लोग थोड़ी ही देर में मनार की खाड़ी में पहुँच जाएँगे। वहाँ पर मार्च तक कोई गोताखोर नहीं जाता फिर लगभग एक महीना तक वे लोग अपना-अपना कार्य करते हैं। लगभग 300 नावें आती हैं हर नाव में 10 खेने वाले तथा 10 गोताखोर होते हैं। गोताखोर पाँच-पाँच की दो टुकड़ियों में विभक्त हो जाते हैं। एक बार एक टुकड़ी गोता लगाती है तथा दुबारा दूसरी। ये लोग लगभग 40 फुट तक गहराई में चले जाते हैं तथा पैरों के बीच एक-एक पत्थर दबाकर उसे एक डोरी से नाव में बाँध देते हैं।"

"यह तो बहुत ही पुराना तरीका है। इससे तो हम लोगों की गोताखोरी की पोशाक काफी उपयोगी सिद्ध होती होगी।" मैंने कहा।

"हाँ! ये गोताखोर समुद्र में केवल 40 से लेकर 87 सेकेण्ड तक ही रह सकते हैं। इतने पर भी जब वे अपनी नाव को वापस लौटते हैं तब उनके नाक से अक्सर खून बहने लगता है। औसतन एक गोता खोर 30 सेकेण्ड तक समुद्र के अन्दर रह

पाता है और उतने ही समय में वह अपना मोतियों का झोला भर लेता है। इन गोता खोरों की आयु घट जाती है; दृष्टि क्षीण हो जाती है, शरीर पर घाव हो जाते हैं तथा बहुतों को पक्षाघात भी हो जाता है।

"यह तो बड़ा ही कष्टदायक उद्योग है केवल अमीरों के लोभ एवं अहंभाव के लिये किया जाता है। परन्तु कप्तान साहब, एक दिन में एक नाव कितने मोती निकाल पाती है?"

"40 से 50 हजार तक। कुछ लोग कहते हैं कि अंग्रेज सरकार ने अपने गोता खोरों से 1844 ई. में 20 दिन में सात करोड़ साठ लाख मोती निकलवाए थे।"

"तो इन लोगों को बड़ी-बड़ी तनख्वाहें मिलती होंगी।"

"अरे नहीं। पनामा में इन गोता खोरों को एक डालर प्रति सप्ताह मिलता है। कभी-कभी ये लोग ठेके पर भी मोती निकालते हैं। ठेके पर उन्हें प्रति मोती वाले सीप का केवल एक पैसा दिया जाता है।"

"यह कितना अन्याय है! जो अपनी जान को मौत के मुख में डालकर अपने मालिकों को अमीर बनाते हैं उन्हें प्रति सीप केवल एक पैसा!"

"हाँ! आप लोग यह दृश्य मनार की खाड़ी में देखेंगे। यदि कोई मोती निकालने वाला सीजन से पहले आ गया होगा तो आप लोग मोती निकालने का काम भी देख सकेंगे।

"बहुत अच्छा।"

"प्रोफेसर एरोना, आप शार्क से तो नहीं डरते।" कैप्टेन नेमो ने पूछा।

"नहीं! कैप्टेन साहब! मुझे ऐसा अवसर कभी नहीं मिला।"

"परन्तु मुझे तो अक्सर मिला करते हैं।" कैप्टेन नेमो ने कहा–"आप को भी यहाँ पर मिलेंगे। हम लोग हथियार लेकर शार्क के शिकार के लिये कल चलेंगे! अच्छा नमस्ते!" कहकर कप्तान कमरे से बाहर निकल गये।

मैं मन ही मन सोचने लगा अगर मुझे स्विटजरलैण्ड में रीछ के शिकार के लिये न्योता मिलता तो मैं तुरन्त स्वीकार करता, यदि ऐटलस पहाड़ से मैदान में शेर का, या भारतीय जंगलों में चीते के शिकार का निमन्त्रण मिलता तो उसे भी स्वीकार करने में हिचकिचाहट न होती, परन्तु शार्क के शिकार के लिये मैं एक दिन सोचने का समय अवश्य लूँगा। शार्क की भयंकरता की कल्पना से मेरे माथे पर पसीना आ गया।

मुझे ऐसा लगा कि सोचने के लिये समय अवश्य माँग लेना चाहिए। समुद्र की तलहटी में यात्रा करने में शार्क से मुठभेड़ होना निश्चित था। वैसे तो अंडमान द्वीप के लोग केवल एक छूरे से ही शार्क पर आक्रमण कर देते हैं। परन्तु उनमें से बहुत कम जिन्दा रह कर वापस लौटते हैं।

मैं शार्क के बारे में सोचने लगा। मुझे डर भी लगने लगा। मैंने सोचा अच्छा है। कोन्सील अभी तक आया नहीं है और न आएगा। मैं उसके न आने का बहाना कर लूँगा। नेड शायद जाना पसन्द ही न करे। सोचते-सोचते मैं सीलोन द्वीप के विवरण सम्बन्धी पुस्तक के पन्ने उलटने लगा। उतने में नेड व कोन्सील कमरे में आ पहुँचे।

कमरे में प्रवेश करते ही नेड ने कहा–"कैप्टेन नेमो ने उसे एक सुअवसर दिया है।"

"अच्छा तो क्या तुम भी कल जाओगे?"

"हाँ! कैप्टेन नेमो ने मुझे एवं कोन्सिल को आपके साथ मोती क्षेत्र देखने के लिये आमन्त्रित किया है।"

"क्या उन्होंने तुमसे और कुछ नहीं बताया?"

"नहीं, परन्तु आप तो साथ में हैं ही।"

"परन्तु यह यात्रा खतरनाक होती है?"

"मोती क्षेत्र की यात्रा खतरनाक! यह कैसे?"

मुझे लगा कि कप्तान ने इन लोगों को शार्क के बारे में नहीं बताया परन्तु मुझे तो अवश्य बता देना चाहिए। उतने में ही नेड ने फिर प्रश्न किया–

"महाशय मुझे पहिले आप यह बताइये कि मोती होता क्या है?"

"नेड, कवि लोग मोती को 'सागर के आँसू' कहते हैं। चीन के लोग 'जमी हुई ओस की बूँद' कहते हैं, औरतें इसे जवाहरात में गिनती हैं और उसे नाक, कान तथा गले में पहनती हैं और रसायन विशेषज्ञ उसे फास्फेट, चूना तथा कारबोनेट का मिश्रण कहते हैं। कुछ प्रकृति विशेषज्ञों की राय है कि यह सीप का एक विशेष भाग है जो कुछ विशेष परिस्थितियों में उत्पन्न होता है। मोर्ती कई रंग के होते हैं जैसे नीले, हल्के नीले, लाल, सफेद तथा बैंजनी। यह स्काटलैण्ड, वेल्स, आयरलैण्ड, सैक्सोनी, बोहेमिया तथा फ्रांस के चश्मों में भी पाये जाते हैं।

नेड ने कहा, "मैं उन्हें वहाँ अवश्य देखूँगा।"

कोन्सील ने पूछा, "क्या एक सीप में कई मोती होते हैं?"

"हाँ लिखा तो ऐसा ही, परन्तु मुझे विश्वास नहीं है।"

कोन्सील ने फिर पूछा "यह निकाले कैसे जाते हैं?"

"मोती कई प्रकार से निकाले जाते हैं। परन्तु साधारणतः मोती के सीप किनारे पर समुद्री लताओं के ऊपर डाल दिए जाते हैं। दस दिन बाद वे सड़ जाते हैं और फिर उन्हें समुद्री जल की बड़ी बड़ी टंकियों में डाल देते हैं। तब सीप के दोनों पल्ले निकाल कर अन्दर का मुलायम भाग अलग करके उबाल जाता है जिसमें से बहुत से छोटे-बड़े मोती निकलते हैं।"

"क्या इनकी कीमत इनके आकार पर निर्भर होती है?"

"केवल आकार पर ही नहीं, उनकी बनावट, रंग तथा उनके अच्छे होने पर भी कीमत में अन्तर हो जाता है। सबसे अच्छे मोती सफेद होते हैं। साधारणतः ये अर्ध पारदर्शी एवं गोल या अण्डाकार होते हैं। जो अण्डाकार होते हैं उनके कान के झुमके तथा गोल के अन्य आभूषण बनते हैं। जो बहुत छोटे होते हैं वे दवा के भी काम में आते हैं।"

"इन मोतियों से क्या आय होती होगी?"

"जिस पुस्तक से हम पढ़ रहे हैं, यदि उस पर विश्वास किया जाये तो लंका को इस व्यवसाय से 30 लाख शार्क प्रति वर्ष आय होती है।"

मेरी बात काटते हुए कोन्सील बोला, "शार्क या फ्रांक?"

मैंने उत्तर दिया, "फ्रांक तीस लाख फ्रांक! परन्तु अब यह आय घटकर दो-तिहाई हो गयी है। यही हाल अमेरिका के क्षेत्रों का है।"

कोन्सील ने पूछा, "क्या इस पुस्तक में बहुमूल्य मोतियों का हाल नहीं लिखा है?"

"इसमें लिखा है कि रोम के सम्राट् सीजर ने अपनी प्रेमिका सरविलिया को

4800 पौण्ड का एक मोती भेंट किया था।''

''परन्तु'' नेडलैण्ड ने कहा, ''मैंने तो सुना है कि प्राचोन काल में एक स्त्री सिरके में मोती डालकर दिया करती थी।''

कोन्सील ने कहा, ''भाई नेड यह तो बेजा बात है। सिरके के एक छोटे गिलास का मूल्य 60,000 फ्रांक।''

नेड ने उत्तर दिया, ''मुझे दुःख है कि मैंने उस औरत से शादी नहीं की।''

कोन्सील ने हँसकर कहा, ''क्लियोपेट्रा के पति नेडलैण्ड! खूब!''

नेडलैण्ड ने गम्भीर होकर कहा, ''कोन्सील, मेरी शादी तो कभी की हो गयी होती। यह मेरी गलती नहीं जो मैं क्वाँरा हूँ। मैं तो अपनी प्रेमिका के लिये एक सुन्दर सच्चे मोतियों का हार ले आया था, परन्तु पता नहीं उसने क्यों दूसरे से शादी कर ली। वह हार मुझे डेढ़ डालर में मिला था। प्रोफेसर साहब यदि आप मेरी बात पर विश्वास करें तो वह प्रथम श्रेणी से भी अच्छे मोतियों का बना हुआ था।''

मैंने हँसकर कहा, ''वह काँच के बनावटी मोती रहे होंगे और उसमें मोम भरा होगा।

कुछ उदास होकर नेड ने कहा, ''शायद इसी कारण उसने दूसरे से शादी कर ली।''

''यदि मोतियों का मूल्य देखा जाये तो अपने कैप्टन के पास जितने मोती हैं उतने किसी बड़े से बड़े राजा के पास भी नहीं निकलेंगे।''

कोन्सील ने उसी कमरे में शीशे की आलमारी में रखे एक मोती की ओर उँगली करके कहा, ''इसके विषय में आपकी क्या राय है?''

''उसकी कीमत 20 लाख फ्रांक से कम न होगी।''

''बीस लाख फ्रांक। और कप्तान ने उसके लिये उठाने के अलावा कोई कष्ट न किया होगा।''

नेडलैण्ड ने कहा, ''कौन जाने कल की यात्रा में हमें इस प्रकार के मोती मिलें।''

कोन्सील ने कहा, ''खूब!''

''क्या मतलब?'' नेड ने पूछा।

''इस नाटिलस में रखा लाखों का धन किस काम का?''

''परन्तु बाहर?'' नेड ने कहा।

''नेड तुम ठीक कहते हो'' मैंने कहा, ''यदि हम योरोप या अमरीका में इन लाखों रुपयों के मोती में से एक भी ले जायें तो हम लोगों की यात्रा सफल हो जाएगी।''

''मेरी भी यही राय है।'' नेड ने कहा।

कोन्सिल ने पूछा, "क्या यहाँ गोता लगाना खतरनाक तो नहीं है।"

"उसमें क्या खतरा!" नेड ने कहा, "कुछ समुद्री पानी पेट में चला जाएगा।"

"नेड तुम ठीक कहते हो, परन्तु क्या तुम शार्क से नहीं डरते हो?" मैंने पूछा।

"एक पेशेवर शिकारी को शार्क से क्या डर? यह तो मेरा रोज का काम है?"

17

धीरे-धीरे रात होती गयी। मैं बिस्तर पर जा सोया। रात भर मैंने शार्क के ही स्वप्न देखे।

दूसरे दिन सुबह 4 बजे ही रसोइयों ने मुझे जगा दिया। मैं फौरन उठ गया और कपड़े पहन कर कमरे में गया। कैप्टेन नेमो वहाँ मेरी प्रतीक्षा कर रहा था।

नाव तैयार थी। हम तीनों दो अन्य खलासियों के साथ उस पर बैठ गये और वह चल दी। हम लोग दक्षिण की ओर गये और किनारे के पार एक छोटी खाड़ी में पहुँच गये। मोती निकालने के सीजन में अभी एक महीने की देरी थी, इसलिये वहाँ कोई आबादी न थी। कोई नाव भी न दिखाई पड़ी। हमारी नाव ने लंगर ड़ाल दिया। हम लोगों ने गोता खोरी की पोशाक पहन ली और नीचे उतार गये।

कैप्टेन नेमो ने हमें बिजली की बत्ती लेने से मना किया था।

इसके दो कारण थे। एक यह कि सूर्य का प्रकाश स्वयं तलहटी तक पहुँच जाता था तथा दूसरा यह कि यह सम्भावना थी कि बिजली के प्रकाश से समुद्री जीव आकर्षित होकर कहीं हम लोगों पर हमला न कर दें।

हम लोगों ने केवल एक एक खंजर ले लिया था।

समुद्र की तलहटी उस जगह पर केवल 10 फुट नीचे थी। चलते-चलते कुछ देर में हम लोग मोतियों के खेत में पहुँच गये। चट्टानों पर हजारों-लाखों सीपें लटक रही थीं। हम लोगों ने सोचा कि कुछ देर रुक कर उस दृश्य को देखें परन्तु कैप्टेन नेमो बगैर रुके चले जा रहा था। हम लोग उसका अनुसरण कर रहे थे। लग रहा था कि वह इस रास्ते से परिचित था।

रास्ते में कहीं-कहीं ऊँची भूमि भी दिखाई पड़ती थी। कहीं-कहीं हम लोग पानी की सतह तक पहुँच जाते थे। परन्तु धीरे-धीरे नीचे की ओर ढालू जमीन आती गयी और हम लोग एक छोटी सी गुफा के मुहाने के पास पहुँच गये। यहाँ मन्द प्रकाश होने के कारण आरम्भ में हमें कुछ भी न दिखाई पड़ा परन्तु बाद में आँखें अभ्यस्त हो गयीं और अन्दर भी दिखाई पड़ने लगा, और हम लोग आगे की ओर बढ़े।

कुछ देर चलने पर कैप्टेन नेमो ने मुझे उँगली के इशारे से कुछ बताया। मैंने देखा कि वह एक सीपाकार 'आइस्टर' थी। उसका वजन लगभग साढ़े बारह मन होगा। मैंने देखा कि उसको देखकर कैप्टेन नेमो की आँखें चमक रही थीं। मुझे लगा कि शायद कैप्टेन नेमो इस जगह पर कई बार आ चुके हैं। उस सीप मछली का मुँह आधा खुला था। कैप्टेन ने अपना खंजर उसके बीच में डाल दिया जिससे वह बन्द न हो। फिर हाथ डाल उसको और भी खोल दिया।

मैंने अन्दर देखा कि लगभग नारियल के आकार का एक बहुत बड़ा मोती उसमें चमक रहा था। मैंने अपने जीवन में प्रथम बार ऐसा बड़ा मोती देखा। मुझे कल्पना ही नहीं थी कि इतना बड़ा मोती हो भी सकता है। मेरा अनुमान है कि कैप्टेन नेमो इस मोती को विशेष तौर पर संग्रहालय में रखने के लिये बड़ा कर रहा होगा। उसकी कीमत कम से कम एक करोड़ फ्रांक होगी।

उसे देखकर हम लोग फिर वापस लौटे। मोती के विचार में मैं शार्क की बात भूल ही गया था। हम लोग चलते ही जा रहे थे कि एक जगह कैप्टेन नेमो ने हमें रोक दिया। मैंने सामने की ओर पानी में कुछ तैरता हुआ देखा। मेरे मस्तिष्क में फिर शार्क घूमने लगी। परन्तु मैंने गौर से देखा कि वह एक मनुष्याकृति थी। मुझे लगा कि उसने मोती निकालने के लिये गोता लगाया होगा। उसके शरीर से एक बड़ा पत्थर एवं एक टोकरी रस्सी द्वारा बँधी हुई थी। तलहटी पर पहुँचकर वह सीप बीन लेता था और फिर ऊपर वापस चला जाता। फिर नीचे आ जाता था। इस प्रकार उसने कई गोते लगाए। हम लोग उसे गौर से देखते रहे।

वह मनुष्य घुटने के बल तलहटी में सीप बीन ही रहा था कि यकायक डरकर उछला और ऊपर पहुँचने के लिये तैरने लगा। परन्तु उतने में ही दूर से एक शार्क मछली उसके पास पहुँच गयी। उस मनुष्य ने उससे बचने के लिये फिर गोता लगाया। वह सब कुछ सेकेण्डों में हो गया। शार्क उसका पीछा करके नीचे पहुँच गयी। वह अपनी आरी जैसी थूथन से उस व्यक्ति को चीरने जा रही थी कि कैप्टेन नेमो बिजली की तरह उस पर कूदा। मैं तो स्तब्ध हो गया। कैप्टेन के हाथ में खंजर था। वह उस राक्षसी मछली के पास पहुँच गया। वह भी कैप्टेन को आते देखकर उस व्यक्ति को छोड़कर कैप्टेन की ओर चली। उस समय कैप्टेन के खड़े रहने के तरीके को मैं भूल नहीं सकता। एक पैर आगे रखकर वह बहादुरी से खड़ा था। शार्क ने उस पर हमला कर दिया। झुककर उसने उसके वार को बचा लिया और नीचे से अपना खंजर शार्क के पेट में भोंक दिया। शार्क के पेट में से खून का फौव्वारा छूटा अब वह जानवर भी बहुत क्रोधित हुआ और उसके खून से चारों ओर का पानी लाल हो गया। मैं कैप्टेन की मदद में जाने को सोच रहा था परन्तु मेरे पैर ही नहीं उठ

रहे थे। लड़ाई और भी भयंकर होती गयी और उस राक्षसी शार्क की ताकत के आगे कैप्टेन थकने लगा। वह नीचे गिर गया। मुझे लगा अब शार्क उसे चीर डालेगी। मेरी आँखों में अँधेरा छा गया। परन्तु उतने में ही मेरी बगल में खड़ा नेडलैण्ड जोर से कूदा और कैप्टेन के शरीर पर शार्क का थूथन पहुँचने के पहले नेडलैण्ड का खंजर शार्क के पेट में घुस गया। उसके लिये वह घाव अन्तिम सिद्ध हुआ।

नेड ने हाथ पकड़कर कैप्टेन को खड़ा किया। वह सीधे उस मोती निकालने वाले व्यक्ति के पास पहुँचा। वह बेहोश था। उसे उठाकर कैटेन एक ही छलाँग में पानी के ऊपर आ गया। उसे नाव में लिटाकर होश में लाया गया। कैप्टेन अपनी जेब से मोतियों से भरी एक छोटी थैली निकालकर उसके हाथ में रखी। वह बेचारा आश्चर्य चकित हो गया। हम लोग फिर तलहटी पर पहुँच गये और वहाँ से चलते-चलते सीधे नाटिलस आ गये।

कपड़े उतारकर हम लोग कमरे में गये। तुरन्त ही कैप्टेन ने नेड से हाथ मिलाये।

"श्रीयुत नेड महोदय, आपको अनेकानेक धन्यवाद!"

"इसमें धन्यवाद किस बात का? मैंने तो केवल अपना कर्तव्य निभाया है।" नेड ने कहा।

कैप्टेन हँसा। फिर मेरी ओर घूमकर बोला, "प्रोफेसर साहब, आपने उस आदमी को देखा था? दुनिया के एक पीड़ित एवं शोषित देश का वह प्रतिनिधि था। मैं जीवन पर्यन्त उसका साथी रहूँगा।"

18

धीरे-धीरे लंका द्वीप अदृश्य होता गया। लंका तथा मालद्वीप के द्वीप समूह भी निकल गये। हमारा जहाज घण्टे में 20 मील की रफ्तार से वायव्य कोण की ओर जा रहा था। यह पता न था कि हम लोग कहाँ जा रहे हैं।

एक ओर लालसागर था तथा दूसरी ओर ईरान की खाड़ी। दोनों रास्ते आगे चलकर छूट रहे थे। जहाज आगे बढ़ता जा रहा था। मुझे लगा शायद वह ईरान की खाड़ी और लालसागर देखकर वापस लौटेगा और अफ्रीका घूमकर अटलांटिक महासागर पहुँचेगा। नेड परेशान था। तीन-तीन महीने तक इस प्रकार की कैद में रहना उसके लिये बड़ी परेशानी की बात थी। मुझे अपनी प्रकृति के निरीक्षण की आदत के कारण यह कैद खलती न थी। परन्तु मैं नेड की परेशानी समझ रहा था।

हमारा जहाज ओमन की खाड़ी में पहुँच गया। दूर पर मस्कत शहर की मस्जिदों

के गुम्मज दिखाई पड़ने लगे। हैड्रामाउन्टे और महराह के किनारों की बगल में होकर नाटिलस अदन बन्दरगाह के पास बाबएलमैनडेव के जलडमरूमध्य में घुसा। दोनों ओर काले पहाड़ दिखाई पड़ रहे थे।

6 फरवरी को अदन बन्दरगाह के पास गोता लगाकर हमारे जहाज ने लालसागर में प्रवेश किया। हम लोग अदन को ठीक प्रकार देख न सके, परन्तु दूर से छोटे बड़े कलकत्ता, बम्बई, स्वेज, मोरोशियस आदि स्थानों को जाने वाले स्टीमर धुआँ निकालते हुए दिखाई पड़े। बन्दरगाह पर अंग्रेजों का ध्वज लहरा रहा था।

हम लोगों के जहाज ने लालसागर में प्रवेश किया। पुराने इतिहास के अनुसार यह सागर बहुत ही भयानक था। अनेक जहाज उसके गर्भ में पहुँच चुके थे। परन्तु आजकल स्टीमरों के आगे वह लाचार हो गया है। नाटिलस, कभी नीचे, कभी ऊपर, खेल जैसा करता हुआ आगे बढ़ रहा था। अफ्रीका के किनारे की ओर वह चल रहा था क्योंकि उस ओर पानी ज्यादा गहरा था। इस समुद्र का पानी स्वच्छ भूरे रंग के होने के बावजूद भी उसका नाम लालसागर क्यों पड़ा यह मेरी समझ में न आया। मुझे आश्चर्य हुआ। परन्तु कैप्टेन नेमो ने बताया कि ''इस समुद्र में विशेषकर टोर नामक खाड़ी की तलहटी में एक प्रकार वनस्पति के रस के कारण पूरे पानी का रंग अक्सर लाल दिखाई पड़ता है।

यहाँ पर कई वस्तुएँ देखने को मिलीं जो पहले कभी न देखी थीं। ये वस्तुएँ स्पंज थीं। तरह-तरह के स्पंज दिखाई पड़ने लगे। स्पंज के सम्बन्ध में थोड़ा बहुत मैंने पढ़ा भी था। वह ज्ञान मेरे काफी काम में आया। स्पंज के बारे में अब तक यह निर्णय नहीं हो पाया है कि वह जीव है या वनस्पति परन्तु अधिकतर वैज्ञानिकों की राय है कि वह या तो जीव है या जीव द्वारा निर्मित कोई पदार्थ। कोन्सील को मैंने इनके बारे में सभी बातें खिड़की पर बैठे-बैठे बतायी।

धीरे-धीरे हम लोग खोदी जा रही स्वेज नहर के पास पहुँचे। मुझे यह दिखाई नहीं पड़ रहा था कि मैं कैप्टेन का कोई भी इरादा वापस लौटने का हो। एक दिन जहाज के डेक पर हम लोग इकट्ठे हो गये। मैं उससे कुछ पूछूँ, उसके पहले ही उसने कहना शुरू किया।

''प्रोफेसर, जिस काम को दुनिया का कोई भी इंजीनियर न कर सका उसे करने का निश्चय आपके फ्रांसीसी लेसेप्स ने तय किया। अब कुछ ही दिनों में दुनिया के व्यापार में क्रान्तिकारी परिवर्तन होगा। पहले लोग यहाँ से अफ्रीका के किनारे-किनारे नील नदी की नहर द्वारा भूमध्य सागर पहुँचते थे। परन्तु यह किसी को न सूझा। यदि समझता भी तो करता कौन? अन्त में आपका एक देश निवासी हिम्मती निकला। परन्तु इस समय हम उसका लाभ नहीं उठा सकेंगे। यह निश्चय है कि हम लोग

परसों भूमध्यसागर में प्रवेश करेंगे और पोर्ट सईद का बन्दरगाह देखेंगे।

"भूमध्य सागर में?" मैंने आश्चर्यचकित होकर पूछा।

"क्यों? इसमें आश्चर्य की क्या बात है?"

"हम लोग परसों ही भूमध्यसागर में कैसे पहुँच सकते हैं?"

जहाज चाहे जितनी रफ्तार में चले, यह असम्भव है कि एक दो दिन में लालसागर वापस जाकर पूरे अफ्रीका की परिक्रमा करके भूमध्यसागर में पहुँचे। हाँ, यदि आपका नाटिलस जमीन के ऊपर उड़ने लगे या जमीन के नीचे तैरने लगे तब शायद यह सम्भव है।"

"प्रोफेसर, आप शायद नहीं जानते। हमें स्वेज के स्थलडमरुमध्य के ऊपर चलने की या उड़ने की आवश्यकता नहीं है। केवल उसके नीचे होकर हमारा जहाज भूमध्य समुद्र में पहुँचेगा।"

"नीचे होकर?"

"हाँ! नीचे होकर! नीचे से जहाज के जाने के लिये रास्ता बना हुआ है?"

"परन्तु स्वेज के जलडमरुमध्य पर तो बालू है।"

"हाँ! परन्तु वह केवल 50 फुट तक, उसके बाद सख्त चट्टानें हैं और उन चट्टानों के नीचे एक प्राकृतिक नहर है। मैंने उसका नाम अब्राहमनहर रखा है।"

"क्या आपको यह रास्ता अनायास ही मिल गया था?" मैंने पूछा।

"कुछ अनायास कुछ अनुमान के द्वारा! मैं इस रास्ते से होकर कई बार भूमध्यसागर में गया हूँ।"

"यह मार्ग आपने किस प्रकार ढूँढ़ा?"

"देखिए आपको बताने में कोई एतराज नहीं है। हम लोग हमेशा के लिये साथ ही रहेंगे। मैंने देखा कि भूमध्य सागर एवं लालसागर की मछलियाँ ज्यादातर एक ही मेल की हैं। एक बार मैंने दो तीन मछलियाँ पकड़ उनकी पूँछों में अँगूठियाँ पहना दी। जिन मछलियों को मैंने अँगूठी पहनाई उन्हें फिर लालसागर में देखा। इससे मुझे विश्वास हो गया कि समुद्र में कोई रास्ता नीचे से अवश्य जाता होगा।"

जब मैंने इस बात को अपने साथियों को बताया तब उन्हें कैप्टेन नेमो की बुद्धि पर आश्चर्य हुआ। इस व्यक्ति के दिमाग का क्या कहना जो भूगर्भ में होकर एक देश से दूसरे देश जाने का रास्ता ढूँढ़ सकता है?

उस दिन शाम को हम लोग अरब के किनारे पहुँचे, जहाँ से जिद्दा बन्दरगाह स्पष्ट दिखाई पड़ रहा था। यह बन्दरगाह व्यापार का बहुत बड़ा स्थान है। वहाँ हम लोगों ने लंगर डालकर पड़े हुए छोटे बड़े कई जहाज देखे। सूरज डूबा और समुद्र का पानी अँधेरे में काला दिखाई पड़ने लगा। अँधेरे का लाभ उठाकर हम लोगों

का जहाज समुद्र की सतह पर ही तैर रहा था।

नेड को खुश करने वाली भी एक घटना हुई। हम लोग डेक पर खड़े थे कि दूर से एक बहुत बड़ी चट्टान-सी दिखाई पड़ी। दूर से हम उसे भली प्रकार पहचान न सके थे परन्तु नजदीक आकर देखा तो वह ड्यूडांग नामक एक समुद्री जानवर था। नेड शिकार के लिये तैयार ही था। उसने कहा, ''अभी तक मेरे हारपून को इस प्राणी के पेट में जाने को मौका कभी नहीं मिला।''

''कैप्टेन नेमो भी उधर आ गया था। उसे भी नेडलैण्ड के शिकार में आनन्द आ रहा था। उसके ऊपर कप्तान की श्रद्धा भी उस शार्क वाले काण्ड से बढ़ गयी थी। ड्यूडांग बड़ा ही भयानक जानवर होता है, परन्तु नेडलैण्ड ने उसे हारपून के एक ही प्रहार में समाप्त कर दिया।

कुछ ही देर में लगभग दस हजार पौण्ड वजन का वह जानवर नाटिलस के रसोई घर में पहुँच गया। नेड को आज काफी भूख लगी हुई थी—बहुत दिन के बाद उसे ऐसा सुस्वादु भोजन मिला था!

रात के समय हम लोगों का जहाज खुदती हुई स्वेज नहर के पास पहुँच गया। वहाँ पर दूर हल्का प्रकाश दिखाई पड़ रहा था। हम लोगों को डेक पर से हट जाने का आदेश दिया गया क्योंकि नाटिलस अब पानी के अन्दर घुसने वाला था। नाटिलस की टंकियाँ भर गयीं और हमारा जहाज समुद्र की गहराई में उतरने लगा।

कैप्टेन नेमो मुझे अपने साथ पतवारिये की केबिन में ले गया। पतवार को कैप्टेन ने स्वयं अपने हाथ में लिया। एक विशालकाय मनुष्य वहीं पर बैठा हुआ मेनोमिटर देख रहा था। जहाज नीचे ही उतरता चला गया। कैप्टेन जहाज की दिशा में परिवर्तन करता जाता था और अन्त में हम लोग लगभग दस बजे एक गुफा के मुहाने के पास पहुँच गये। हमारा जहाज प्राचीन अरबों द्वारा निर्मित अब्राहम नहर में घुसा। नहर ढालू होने के कारण लालसागर का पानी जोरों से बह रहा था। रास्ता भी काफी तंग था। मेरा हृदय धक-धक कर रहा था। लगभग दस मिनट बाद कैप्टेन नेमो ने पतवार छोड़ दी और मेरी ओर घूमकर बोला, ''हम लोग अब भूमध्यसागर में हैं।''

19

''भूमध्यसागर!''

मेरे साथी जब सुबह जगे और मैंने उन्हें बताया कि हम लोग भूमध्यसागर

में हैं तब उन्हें विश्वास नहीं हुआ।

परन्तु बाहर आकर उन्होंने देखा कि पोर्ट सईद का किनारा धीरे-धीरे अदृश्य हो रहा था।

कुछ ही देर में हम लोग योरोप के सभ्य देशों का किनारा देख सकेंगे, यह सोचकर बड़े खुश हुए। नेडलैण्ड के मन में भाग जाने के विचार आने लगे। हम लोग दरवाजे-खिड़की बन्द करके सलाह मशविरा करने बैठ गये। नेड ने प्रारम्भ किया—

"कहिए प्रोफेसर साहब, अब आपकी क्या राय है? हम लोग योरोप के किनारे के पास पहुँच गये हैं।"

"क्यों? तुम इस यात्रा से ऊब गये क्या?" मैंने पूछा।

"सच बात कहूँ? अब तक ऊबा तो नहीं हूँ, परन्तु चाहे जितनी लम्बी यात्रा हो, इसका कभी अन्त भी तो होना चाहिए। मुझे तो यह यात्रा अनन्त सी प्रतीत हो रही है।"

"धीरज रखो। इसका भी अन्त होगा।"

"कब? क्या हम लोग सभी समुद्र घूम लेंगे तब?"

"यह ठीक है!" कोन्सील ने कहा, "मेरी राय में कैप्टेन नेमो हमें सभी समुद्रों की सैर कराकर छोड़ देगा।"

"हाँ, यह हो सकता है कि वह हम लोगों के शरीर को आत्मा से मुक्त कर दें, क्योंकि आत्मा सहित हम लोगों के शरीर को इस जहाज से मुक्त करने के कोई लक्षण मुझे दिखाई नहीं पड़ रहा है।" नेड ने कहा।

"नहीं, नहीं, ऐसा कैसे होगा? परन्तु मुझे भी यह बात ठीक ही लग रही है कि कैप्टेन नेमो हमें अपनी मर्जी से मुक्त नहीं करेगा। अन्त में हमें भाग जाना ही होगा।" मैंने कहा।

"यह कैसे हो सकेगा?" नेड ने परेशान होकर कहा।

"प्रतीक्षा करनी होगी। जब मौका मिले तब भाग जायें।"

"यह तो भविष्य की बात है।" नेड उत्तेजित होकर कहने लगा, "आप हमेशा कहते हैं, 'धीरज धरो', 'धीरज धरो', परन्तु कहाँ तक धैर्य धारण करें? ऐसा मौका दुबारा कब मिलेगा? मेरी राय में जब कैप्टेन नेमो स्वयं आकर कहें कि 'आप लोग स्वतन्त्र हैं', तब भी आप यहाँ से हटने का नाम न लेंगे।"

मैंने कोई उत्तर न दिया।

"और मान लो कि वह यह कहे कि आप यहाँ से एक बार जाना चाहें जा सकते हैं दुबारा जाने का नाम न लें, तब क्या आप यहाँ से हटेंगे?" नेड कुशल वकील की भाँति घुमा-घुमाकर पूछने लगा।

मैं चुप रहा।

"कहो कोन्सील तुम्हारी क्या राय है?"

"मैं क्या बताऊँ?" एक दार्शनिक की तरह कोन्सील ने उत्तर दिया, "हमें तो जाने की कोई जल्दी नहीं है। हम तीनों में से किसी के लिये घर पर कोई प्रतीक्षा कर नहीं रहा है। इस जीवन में जो कुछ भी देखने को मिले देख लेना चाहिए, और यदि फिर भी मेरे मालिक तैयार हैं तो अपना बिस्तर गोल ही समझो।"

"चलिये प्रोफेसर साहब! कोन्सील की अपनी कोई राय नहीं है, अब मामला हम आप दोनों को निपटाना है। अब आप अपनी राय बताइए।"

अव मुझे बोलना ही था, "नेड तुम जीते मैं हारा। यहाँ से भागने का जो भी सबसे पहले मौका मिले, उसको न छोड़ेंगे। तुम मुझे अपने साथ समझना। हम लोगों को मरते दम तक कैप्टेन नेमो अलग न करेगा। शायद हम लोगों की कब्र भी उसी के कब्रिस्तान में हो। भागने के लिये तुम जो भी प्रयत्न करोगे उसमें मेरा तुम्हें पूर्ण सहयोग होगा।"

"बहुत उत्तम! अब आप मेरी बात को भली प्रकार समझे।" नेड ने कहा।

"परन्तु भागने का सब प्रबन्ध तुम्हें ही करना होगा।" मैंने कहा।

"आप चिन्ता न करें। मैंने सब योजना बना ली है। यदि किनारा पास है तो वैसे ही तैरकर भाग जाना है और यदि जहाज दूर है तो जहाज के साथ जो नाव बँधी है उसे चलाना और घुमाना चाहिए, यह मैंने जान लिया है।

"हाँ! यह सब ठीक है, परन्तु यदि जरा भी चूक गये और पकड़े गये तो क्या नतीजा होगा यह भी सोच लेना।"

"अरे! ऐसी नौबत आएगी ही नहीं।"

"नेड! तुम जो चाहे सो कर सकते हो। परन्तु समझ लेना कि कैप्टेन नेमो के चार आँखें हैं। क्या तुम सोचते हो कि भूमध्य सागर में, जहाँ चारों ओर योरोप के राज्यों के बन्दरगाह हैं, कैप्टेन नेमो नाटिलस खड़ा रखेगा और समुद्र की सतह के ऊपर आएगा? परन्तु फिर भी तुम जो भी तैयारियाँ करोगे, उसमें तुम्हें हम लोगों का पूरा सहयोग मिलेगा।"

हम लोगों का जहाज तेजी से बढ़ता जा रहा था। भूमध्य सागर के भूरे रंग के पानी में तैरती हुई सुन्दर मछलियों का भी निरीक्षण हम ठीक प्रकार कर न सकते थे।

एक दिन एक विचित्र घटना घटी। हम लोगों का जहाज समुद्र की सतह से थोड़ा नीचे तैर रहा था। मैं ग़ौर से अपने कमरे की खिड़की से मछलियाँ देख रहा था। इतने में पानी में एक मनुष्याकृति दृष्टिगोचर हुई। वह कभी नीचे जा रही थी, कभी ऊपर जा रही थी। मुझे लगा कि यह डूब रहा है। मैं कैप्टन नेमो के पास गया और उसे समाचार दिया कि एक व्यक्ति डूब रहा है। हमें उसे बचाना चाहिए।"

कैप्टेन नेमो कुछ मुस्कुराया। वह खड़ा हुआ और लोहे की एक अलमारी से तिजोरी जैसा एक बक्सा निकाला। उसको खोला। उसमें सोने की ईंटें थीं। कैप्टेन ने उसे सजाकर बाकायदा रख दिया और घण्टी बजायी। घण्टी की आवाज सुनते ही चार व्यक्ति अन्दर आये चारों बड़ी कठिनाई से वह सोना कमरे के बाहर ले गये। उसका भार लगभग 12।।ऽ मन होगा। एक लाख पौण्ड का सोना देखकर मेरी आँखें चौंधियाँ गयीं। इतना सोना कहाँ से मिला होगा? कहाँ जा रहा होगा? उन आदमियों ने उसे जहाज के डेक पर चढ़ाया। जहाज अब समुद्र की सतह पर आ गया था। ऊपर क्या हुआ यह मैं न जान सका परन्तु मुझे लगा कि उस डुबकी लगाते हुए मनुष्य का इस सोने की तिजोरी से अवश्य कुछ सम्बन्ध होना चाहिए।

मेरे साथी इस घटना को सुनकर काफी आश्चर्य करने लगे। उन्हें क्या पता था कि इस जहाज में इतनी अपार सम्पत्ति भी थी!

जहाज फिर आगे बढ़ा। मैं अपने कमरे में डायरी लिख रहा था। शाम के पाँच बजे थे। एकाएक मुझे सख्त गरमी लगने लगी। मैंने कोट उतार दिया, तब भी गरमी असह्य थी। मेनोमीटर देखा तो जहाज समुद्र की सतह से लगभग 60 फुट नीचे था। यहाँ तक सूर्य की गर्मी पहुँच न सकती थी। तब यह गर्मी कैसी? कहीं जहाज में आग तो नहीं लगी? मैं जाँच करने खड़ा हो रहा था कि कैप्टेन नेमो

मेरे कमरे में आया।

"यह क्या? इतनी गर्मी क्यों?" मैंने पूछा।

कुछ समय के लिये इतनी गर्मी रहेगी। हम लोग इस समय उबलते हुए पानी में से जा रहे हैं। यह कहकर उसने खिड़कियाँ खोल दीं। मैंने बाहर देखा तो पानी सफेद हो गया था। कमरे में गन्धक की तेज गन्ध भी फैल रही थी।

"इस समय हम लोग सेन्टोटीन द्वीप के पास हैं।" कैप्टन नेमो ने कहा।

इस घटना के बाद कोई विशेष बात न हुई। जहाज की गति भी धीरे-धीरे बढ़ने लगी। ज्यों-ज्यों ग्रीस एवं क्रीट का किनारा पास आने लगा त्यों-त्यों जहाज भी दिन भर चलता रहने लगा। केवल रात को कुछ देर के लिये हवा लेने ऊपर आया करता था। ऐसी तेज गति से भागती हुई 'सबमेरीन' में से भागने का प्रयत्न करना आत्महत्या के समान था। कैप्टेन नेमो भी आजकल मिलने नहीं आ रहा था। मछलियों के अतिरिक्त कोई नये समुद्री जानवर भी नहीं दिखाई पड़ रहे थे। इटली का सुन्दर किनारा देखने की आशा भी समाप्त हो गयी। हम लोग बन्द रह गये। नेड भी निराश हो गया। मैं जैसे सोच रहा था वैसे ही कैप्टेन नेमो ने किया। जब जहाज रुकता तब उसमें से भाग जाना सम्भव हो जाता था। हम लोगों को, केवल कमरे बन्द रह कर खिड़की से जितना देख सकते थे उतने से, सन्तोष करना था। नक्शे से ज्ञात हुआ कि ग्रीस का किनारा बगल से गुजर गया। परन्तु इससे मन के अन्दर जलन बढ़ रही थी। कहीं-कहीं टूटी हुई स्टीमरों के अस्थिपंजर भी दिखाई पड़ते थे। उन स्टीमरों के बड़े-बड़े यन्त्र एवं इन्जन भी स्पष्ट दिखाई पड़ते थे। बड़ी-बड़ी मछलियाँ उन्हें अपनी पूछों से टक्कर मारकर भाग रही थीं।

अब्राहम नहर को छोड़े अभी 48 घण्टे ही बीते थे। 18 तारीख को सुबह तीन बजे हम लोगों ने जिब्राल्टर के जलडमरुमध्य में प्रवेश किया। हरक्यूलिस के खण्डहर स्पष्ट दिखाई पड़े। उसके पहले भूमध्य सागर के नीचे बहती अन्दर की धारा ने हमारे जहाज को विशाल अटलांटिक महासागर में ढकेल दिया।

20

अटलांटिक! दुनिया के एक बहुत बड़े भाग पर फैले हुए एवं दुनिया की बड़ी-बड़ी नदियों को अपने गर्भ में ग्रहण करने वाला अटलांटिक हम लोगों को दिखाई पड़ा। दुनिया के बड़े-बड़े राज्यों के व्यापारियों के जहाज निरन्तर इसमें घूमा ही करते हैं।

जिब्राल्टर से जलडमरुमध्य को काट कर हम लोगों का जहाज अटलांटिक में

आगे बढ़ने लगा। पवन भी जोरों से बह रहा था। जहाज के डेक पर खड़ा रहना कठिन था इसलिये मैं अपने कमरे में गया। मेरे पीछे-पीछे नेड और कोन्सील भी आये। नेड ने कमरे का दरवाजा भीतर से बन्द कर दिया। मैं कारण समझ गया।

"नेड! भूमध्यसागर में हम लोगों की योजना सफलीभूत न हो सकी थी। जहाज कितना तेज जा रहा था, उसमें से भागना मृत्यु को निमन्त्रण देने के समान था।"

नेड कुछ न बोला, उसने अपने होंठ कस के दाबे।

"परन्तु अभी निराश होने की आवश्यकता नहीं है। हम लोग पुर्तगाल के किनारे के नजदीक आ रहे हैं। फ्रांस और इंग्लैण्ड यहाँ से दूर नहीं है। परन्तु यदि जहाज उत्तर की ओर जाने के बजाय दक्षिण की ओर जाएगा तो कठिनाई हो जाएगी। परन्तु मेरी राय में कैप्टेन नेमो जहाज उत्तर की ओर ही ले जाएगा। हम लोग दूसरा मौका ढूँढ़ेंगे।"

नेड मेरी ओर घूमकर देखने लगा। अन्त में बोला, "तब आज ही रात को तय रहा।"

मैं चौंका! नेड के उस वाक्य के लिये मैं तैयार न था। मैं न सोच सका कि नेड को क्या उत्तर दिया जाये।

"क्यों! हम लोगों ने तय किया था कि जब मौका मिले भाग चलेंगे। आज रात को हम लोग स्पेन के किनारे के पास होंगे। अँधेरी रात भी है। आप तैयार रहिएगा।"

मैं चुप ही था। नेडलैण्ड मेरे पास और करीब आया और धीरे से बोला, "आज रात को नौ बजे, कोन्सील भी तैयार है। कैप्टेन नेमो उस समय अपने कमरे में होगा। मैंने नाव भी तैयार रखी है। उसके अन्दर खाने-पीने का सामान भी पहुँचा दिया है। सब तैयार है। आप नौ बजे तैयार रहिएगा, मैं आपको इशारा कर दूँगा।

"परन्तु आज जोरों से हवा चल रही है।" मैंने कहा।

"यह मैं भी देख रहा हूँ। परन्तु इतना खतरा तो उठाना ही पड़ेगा। स्वतन्त्रता मुफ्त में नहीं मिलेगी। फिर नाव भी काफी मजबूत है। जल्दी डूबने वाली नहीं है। मुझे तो लगता है कि किसी प्रकार हम लोग किनारे पहुँच ही जाएँगे, फिर ईश्वर इच्छा बलवान!"

नेडलैण्ड चला गया। मेरे मन में अनेक विचार आने लगे। मेरे मन में भी यहाँ से भाग जाने की इच्छा हो रही थी परन्तु आज ही भाग जाना है, यह सोचकर मेरे दिल में तूफान सा उठने लगा। "इस समुद्र को छोड़कर चले जायें! अभी इसका बहुत सा हिस्सा नहीं देख पायें हैं। अभी इस महान् ग्रन्थ का एक पन्ना भी पढ़ नहीं पाया हूँ और वह छिन जाएगा। मधुर निद्रा में महान् स्वप्न शुरू,हुआ ही है

कि निद्रा भंग हो गयी। परन्तु नेड को कौन समझाए? यह भी सच्ची बात है कि ऐसे मौके को छोड़ने के बाद दुबारा नहीं मिलेगा। कभी सोचने लगा जहाज उत्तर की ओर जाने के बजाय दक्षिण की ओर जाने लगे तो कितना अच्छा? परन्तु जहाज उत्तर की ओर ही जा रहा था। पुर्तगाल का किनारा नजदीक आ रहा था। मुझे तैयार भी होना था। मेरे पास सामान में डायरी के अतिरिक्त कुछ न था।

मैं सोचने लगा हम लोगों के भाग जाने के बाद कैप्टेन नेमो की स्थिति क्या होगी? जिस बात को उसने दुनिया से छिपा रखा है, उसे हम लोग विश्वासघात करके प्रकट कर देंगे। कैप्टेन चाहे जैसा हो अब तक उसने एक भी बात ऐसी न की थी कि हम लोग उसकी गलती निकाल सकें। जहाज में जिस प्रकार हमें रख रहा था उस प्रकार दूसरा नहीं रख सकता था। यदि वह यह वचन दें कि इस जहाज से कभी वह स्वतन्त्र करके घूमने की छुट्टी देगा तो हम लोग भागने का विचार भी न करें। परन्तु यदि हथकड़ी सोने की भी हो तब भी वह आखिर में रहेगी हथकड़ी ही।

इस प्रकार विचार करने पर मैं भोजन भी ठीक प्रकार न कर सका। सात बज गये थे। दो घण्टे बाकी थे। मेरा हृदय जोरों से धड़कने लगा। नाड़ी का वेग भी बढ़ गया। यदि इसी समय कैप्टेन नेमो आये और मुझे देखें तो क्या सोचेगा? मैं अपने आवेग को कम करने का प्रयत्न कर रहा था। एक के बाद एक पुस्तक निकाल कर पढ़ने का प्रयत्न करता था। परन्तु मैं एक अक्षर भी पढ़ नहीं पा रहा था। मुझे डर भी लग रहा था कि कहीं हम लोगों का षड्यन्त्र पकड़ा न जाये और यदि पकड़े गये तो क्या बीतेगी?

मैं कैप्टेन नेमो के कमरे के अन्तिम दर्शन करने गया। वह खाली था। इस समय मैंने उसके कमरे में पहले कभी भी न देखे हुए चित्र देखें। दुनिया के अलग-अलग देशों के आजादी पर प्राण न्योछावर करनेवाले महापुरुषों के वे चित्र थे। गुलामों के लिये जान देने वाला अब्राहम लिंकन, जार्ज वाशिंगटन, आयरलैण्ड के लिये लड़ने वाला ओकेनिल, इटली का वीर मेजिनी आदि कई चित्र टँगे हुए थे। कैप्टेन नेमो इन चित्रों को क्यों रखता होगा? यह किसी गुलाम प्रजा के लिये डाका डालने वाला कोई गुप्त वीर डकैत तो नहीं है?

आठ बजे! मैं काँप उठा। जहाज अब भी उत्तर की ओर जा रहा था। मैं अपने कमरे में गया। कपड़े पहन लिये और तैयार होकर प्रतीक्षा करने लगा। जहाज के यन्त्रों की मन्द-मन्द आवाज सुनाई पड़ रही थी। मेरे कान बार-बार चौंक रहे थे। "कहीं नेड को पकड़कर कोई कप्तान के पास ला तो नहीं रहा है?"

यकायक जहाज का इन्जन बन्द हो गया। चारों ओर शान्ति छा गयी। कुछ

देर में एक झटका लगा। मुझे लगा कि जहाज समुद्र की तलहटी में बैठ गया है।

उसी समय मेरे कमरे का दरवाजा खुला। कैप्टेन नेमो कमरे के अन्दर आया। मैं चौंका! मुझे लगा मैं पकड़ा गया। परन्तु कैप्टेन नेमो आते ही बोल उठा, "प्रोफेसर एरोना, आप स्पेन का इतिहास जानते हैं?"

"प्रोफेसर आपने मेरे प्रश्न को सुना?"

"जी हाँ! मैं जानता हूँ परन्तु बहुत कम।"

"तब बैठिए, मैं आपको स्पेन के इतिहास का एक पृष्ठ सुना दूँ। इस समय हम लोग वीगो की खाड़ी में हैं। इस खाड़ी के वीगो बन्दरगाह के समीप ही सन् 1702 की अक्टूबर की दूसरी तारीख को स्पेन एवं इंग्लैण्ड की फौजों के बीच भयानक युद्ध हुआ था। स्पेन की फौज के कप्तान ने अपनी अल्प फौज से भी कड़ा मोर्चा लिया था और जब उसे हारने की नौबत आ पहुँची तब उसने अपने देश के बहुमूल्य माल से लदे व्यापारिक जहाजों को जलाकर समुद्र में डुबो दिया था ताकि वह माल दुश्मनों को न मिले। यह वही स्थल है। अब आप वह सब अपनी आँखों से देखिए।"

यह कहकर वह मुझे अपने सैलून में ले गया। सैलून की खिड़की खोल दी। रात थी परन्तु बिजली के प्रकाश से आस-पास काफी दूर तक उजाला था। मैंने देखा कि हमारे जहाज के लोग जहाँ घूम रहे थे वहाँ टूटे हुए जहाजों के भग्नावशेष थे। वे लोग अन्दर घूम-घूम कर कुछ एकत्रित कर रहे थे। मैंने गौर से देखा तो यह सोने, चाँदी की ईंटें, जेवर आदि था।

"प्रोफेसर साहब, समुद्र में भी यह सब धातु मिल सकती है। परन्तु इनको निकालने का खर्च इस धातु की कीमत से अधिक हो जाता है। मुझे तो दुनिया के अमीर लोगों का धन ऐसे ही मिल जाता है। और अब आप समझ सकते हैं कि मैं इतना मालदार कैसे हूँ?"

कुछ देर चुप रहने के बाद वह आगे कहने लगा, "प्रोफेसर! आप सोचते होंगे यह व्यक्ति दूसरों की मेहनत के धन का स्वयं लाभ उठाकर धनवान् बन रहा है। परन्तु ऐसी बात नहीं है। आप यह मत सोचिएगा कि यह धन मैं अपने लिये इकट्ठा कर रहा हूँ। दुनिया के शोषित राष्ट्रों के उद्धार के लिये यह धन काम आता है।"

मेरे हृदय में कैप्टेन नेमो के बारे में नया ही प्रकाश पड़ा। अब मेरी समझ में आया कि उस दिन वाली सोने की ईंटें कहाँ गयीं। मैं सोचने लगा कि "यह भयंकर सा लगता व्यक्ति कितने मृदु दिल का है।"

सोचते-सोचते मैं अपनी योजना भूल ही गया। जहाज आगे बढ़ रहा था।

दूसरे दिन सुबह नेड मेरे कमरे में आया। वह निराश हो चुका था।

"हम लोगों का भाग्य ठीक न था।" मैंने कहा।

"जैसे ही मैंने सब तैयारियाँ की वैसे ही जहाज नीचे बैठ गया।" नेड ने कहा।

"और नीचे जाकर उसने मुझे एक बहुत बड़ा खजाना दिखाया।" यों कहकर नेडलैण्ड को मैंने कल की बातें बतायीं।

नेडलैण्ड को इन बातों में मजा आ गया। उसने कहा, "ठीक, अभी समय बाकी है। मैं एक और प्रयत्न करूँगा और वह भी आज शाम को।"

नेडलैण्ड गया। मैं कैप्टेन नेमो के कमरे में गया। वहाँ देखा कि जहाज नैर्ऋत्यकोण की ओर जा रहा था। अर्थात् नाटिलस उत्तर दिशा या योरोप के किनारे को पीठ दिखाकर दक्षिण की ओर जा रहा था। ग्यारह बजे जहाज सतह पर आया। हम लोग तुरन्त ही डेक पर पहुँच गये। चारों ओर देखा कि पानी ही पानी था। हम लोग योरोप के किनारे से काफी दूर निकल गये थे। नेडलैण्ड के गुस्से का ठिकाना न था।

समुद्र में तूफान होने के कारण हम लोगों को अन्दर जाना पड़ा।

नेड की योजना ठप हो गयी। मुझे भी उसका दुःख हुआ। रात को मैं अपने कमरे में बैठा ही था कि अचानक कैप्टेन नेमो आ गया। "कल रात को आपको बेकार ही परेशान किया, क्यों?" आते ही उसने पूछा।

"नहीं, नहीं, ऐसी कोई बात नहीं है।" मैंने उत्तर दिया।

"तो फिर आज भी ऐसी ही एक छोटी यात्रा के लिये आपको बुलाने आया हूँ। वह भी अभी इसी समय होगी। क्या आप चलेंगे?"

"क्या इसी समय? रात को?"

"हाँ! रात को! कभी-कभी रात को भी घूमना चाहिए।"

"मैं तैयार हूँ।"

"तो चलिये।"

हम चल दिये। जहाज समुद्र की तलहटी पर बैठ गया। हम लोग गोताखोरी के कपड़े पहन कर बाहर निकल गये।

मैं और कैप्टन नेमो साथ-साथ चल रहे थे। कुछ देर तक रास्ता सीधा था परन्तु बाद में पथरीली जमीन व ढाल शुरू हुआ। लावा के जमे हुए नोंकदार पत्थरों के ऊपर से हम लोगों का रास्ता जा रहा था। हम लोग ऊपर चढ़ते ही गये। मुझे मालूम न था कि हम लोग कहाँ जा रहे हैं। काफी देर तक चलते रहे। मुझे थकान भी महसूस होने लगी थी। साथ में लायी हुई लकड़ी का सहारा लेने लगा। कभी-कभी बगल से कोई भारी समुद्री जीव चला जाता तब हृदय धक-धक करने लगता।

कैप्टेन नेमो अभी मुझे ऊपर ही लिये जा रहा था। अन्त में एक चोटी पर कैप्टेन नेमो रुक गया। वहीं से चारों ओर मैंने देखा कि एक दूसरी चोटी भी दिखाई

पड़ रही थी। उसमें से लावा बह रहा था। मैं उस दृश्य को देखकर आश्चर्यचकित हो गया। पानी के कारण ज्वालामुखी में से आग तो नहीं निकल सकती थी परन्तु लावा पानी के साथ भयानक युद्ध कर रहा था और पानी को अपनी गरमी से भाप बना देता था। यहाँ से लावा दो-तीन बड़ी-बड़ी धाराओं में बढ़ रहा था। मैंने बिजली के प्रकाश में देखा कि उस पर्वत के पास एक बहुत बड़े नगर के कंगूरे टूट कर गिर गये थे। मेहराबें अलग हो गयी थीं। खम्भे जमीन पर लुढ़क पड़े थे। उस भव्य नगर के बड़े-बड़े रास्ते साफ नजर आ रहे थे। मानो परदे पर चित्रित कोई महान चित्र हो उस प्रकार दिखाई दे रहा था।

"यह क्या? स्वप्न या सत्य? कैप्टेन नेमो मुझे कहाँ ले आया? यह सब प्रश्नों पर मैं विचार कर ही रहा था कि कैप्टेन नेमो ने मेरे पास आकर एक पत्थर उठाया और उसके द्वारा नीचे चट्टान पर लिखा, 'ऐटलांटिस'।

इस शब्द ने मेरे मन पर प्रभाव डाला। क्या महान ग्रीक दार्शनिक प्लेटो का ऐटलांटिस यही है? कुछ इतिहासकार ऐटलांटिस को काल्पनिक शहर समझते हैं। कुछ उसे वास्तविक भी मानते हैं, परन्तु वह तो मेरे सामने ही था। हम लोग वापस लौटे परन्तु मेरा मन वहीं पर था। मैं इतने गहरे विचार में लिप्त हो गया कि हम कब जहाज पर पहुँच गये यह पता भी न चला।

21

जब हम लोग जहाज पर पहुँचे तब सुबह हो रही थी। बिस्तर पर लेटते ही मैं प्रगाढ़ निद्रा में मग्न हो गया और भोजन के समय उठा। उठकर दिशा सूचक यन्त्र देखा तो नाव दक्षिण दिशा की ओर 20 मील प्रति घण्टे की रफ्तार से जा रही थी। भोजन करके मैं अपने साथियों के कमरे में गया। कल रात की घटना भी उन्हें बतायी। उन्हें इसमें कोई विशेष आनन्द न आया। भागने के अतिरिक्त किसी विषय में नेडलैण्ड को दिलचस्पी थी ही नहीं। कोन्सील को अटलांटिक महासागर की मछलियों को देखने में आनन्द आ रहा था। हम दोनों ने मछलियों को देखने एवं उनका वर्गीकरण करने में काफी समय व्यतीत किया। जहाज दिन भर चलता रहा और केवल रात को कुछ समय के लिये समुद्र की सतह पर हवा लेने के लिये आया।

दूसरे दिन सुबह आठ बजे मैं बिस्तर पर से उठा। मैंने मेनोमीटर में देखा कि जहाज समुद्र की सतह पर था। डेक पर कुछ शोरगुल भी हो रहा था। मैं तुरन्त ऊपर गया परन्तु वहाँ दिन के उजाले की जगह घोर अन्धेरा था। क्या मैंने दिन

को रात समझने की गलती नहीं की? नहीं, परन्तु ऊपर तारे भी नहीं दिखाई पड़ रहे थे। ऐसी अँधेरी रात मैंने कभी नहीं देखी थी। यह क्या घपला था?

मैं अभी सोच ही रहा था कि पीछे से आवाज आयी, "कौन प्रोफेसर एरोना?"

"अरे! कंप्तान साहब! हम लोग कहाँ हैं?"

"जमीन के नीचे!"

"जमीन के नीचे? और जहाज फिर समुद्र के ऊपर? यह क्या बात है? अब तक हम लोग जमीन के ऊपर एवं पानी के नीचे रहते थे। परन्तु जैसा आज आप बता रहे हैं वैसा तो कभी नहीं देखा? क्या आप मजाक तो नहीं कर रहे हैं?" मैंने प्रश्नों की झड़ी लगा दी।"

"आपको सब मालूम हो जाएगा। अभी बत्ती जलने दीजिए।"

मैं प्रकाश होने की राह देखने लगा। चारों ओर अँधेरा ही अँधेरा था। केवल ऊपर की ओर देखने से दूर-दूर हल्का प्रकाश टिमटिमा रहा था। लग रहा था कि वह बड़ा सूराख था और उसमें से दिन का प्रकाश आ रहा था।

कुछ देर में बत्तियाँ जल गयीं। नाटिलस चट्टानों वाले किनारे के पास खड़ा था। समुद्र झील की तरह शान्त था। यही ही नहीं, पानी के चारों ओर चट्टानें थीं। झील की परिधि लगभग 6 मील की होगी। उसकी सतह समुद्र की सतह के बराबर थी, यह मेनोमिटर से स्पष्ट था। तात्पर्य यह है कि समुद्र के पानी के नीचे से इस झील के पानी का सम्बन्ध था। ऊपर से जो प्रकाश आ रहा था वह स्पष्ट रूप से दिन का प्रकाश था। यह सब कैसे हुआ होगा यह मेरी समझ में न आया। मैंने फिर कैप्टेन नेमो से पूछा, "हम लोग कहाँ हैं?"

"अभी तक आप समझ नहीं पाये? हम लोग एक ज्वालामुखी पर्वत के गर्भ में हैं। यह पर्वत अब ज्वालामुखी नहीं रहा है। उसके गर्म भाग को समुद्र की तरंगों ने तली से भेद दिया है और उसमें पानी भर आया है और वह एक बहुत बड़ा समुद्र हो गया है। कल्पना कीजिए कि इसी गर्भ में से उबलता हुआ लावा उस ऊँचे सूराख में से निकलता होगा तब कैसा दृश्य होगा? हम लोग इस समय उसी के रास्ते में हैं। आज इसी जगह वह झील शान्त है। यह अद्‌भुत जगह मुझे अनायास ही मिल गयी। मेरे नाटिलस के लिये या दुनिया के किसी भी जहाज के लिये इससे सुरक्षित जगह नहीं हो सकती।"

"परन्तु यहाँ कौन जहाज आराम करने के लिये आयेगा? फिर आपके जहाज को आराम के लिये ऐसे बन्दरगाह की आवश्यकता ही क्या है?"

"हाँ! यह ठीक है कि मेरे जहाज को आराम करने के लिये सुरक्षित स्थान की आवश्यकता नहीं है। परन्तु उसे बिजली की आवश्यकता होती है और बिजली

के लिये कोयला एवं सोडियम की। यह सब मुझे यहाँ से पर्याप्त मात्रा में मिल जाता है।''

''तब आपके आदमी यहाँ कोयला लेने के लिये रुकेंगे?''

''हाँ देखिए, वे लोग फावड़े लेकर गोताखोरी के कपड़े पहनकर निकल पड़े।''

''तो क्या हम भी वहाँ देखने चलेंगे?''

''नहीं, इस समय खुदाई ज्यादा नहीं होगी। क्योंकि इस समय स्टॉक में पर्याप्त मात्रा में सोडियम है। कोई और समय देखा जाएगा। परन्तु यदि इस समय आप कुछ देर के लिये इस झील के किनारे पर घूमना चाहें तो घूम सकते हैं।''

मैं खुश हो गया और अपने साथियों को बुला लाया। उनको साथ लेकर किनारे की ओर घूमने निकल पड़ा। चट्टानों के साथ निरन्तर पानी के टकराने से थोड़ी दूर तक तो बालू थी बाकी सब किनारा पथरीला बना हुआ था। नेड की आँखें चारों ओर देख रही थीं।

''बहुत दिनों बाद हम लोग जमीन पर पैर रख रहे हैं?'' कोन्सील ने कहा।

''इसको जमीन पर पैर रखना कैसे माना जाएगा। यह तो जमीन के नीचे है। जमीन जहाँ ऊपर सूराख है वहाँ है। हम लोगों को वहाँ पर पहुँचना चाहिए।''

''यह बेकार की बात है। इतने ऊँचे पर्वत के अन्दर अँधेरे में भीतर की ओर से ऊपर चढ़ता ह्वेल के शिकार की तरह आसान तो नहीं है।''

नेड बुरा मान जाएगा यह सोचकर कोन्सील तुरन्त पलट गया और बोला, ''यह चढ़ाई इतनी सीधी है कि कोई चढ़ ही नहीं सकेगा। परन्तु फिर भी चलिये, हम लोग कहाँ तक ऊपर जा सकते हैं।''

हम लोग किनारे के ऊपर चढ़ने लगे। ज्वालामुखी बहुत दिनों से शान्त रहा होगा क्योंकि उसमें कहीं-कहीं वनस्पति भी उगी हुई थी। एक और आश्चर्य देखने को मिला। एक जगह मधुमक्खी का एक बहुत बड़ा छत्ता था। नेड को उसका शहद लेने की इच्छा हुई। मैं उसे कैसे इनकार करता? कुछ सूखी लकड़ी तथा डालें जलाकर उसने वास्तव में शहद निकाल लिया और जूट की एक थैली में भर लिया। हम लोग झील की परिक्रमा कर रहे थे और साथ ही साथ जितना ऊपर चढ़ सकते थे उतना चढ़े भी। रास्ता काफी कठिन था परन्तु नेड एवं कोन्सील के साथ होने के कारण कोई विशेष कठिनाई न पड़ी। हम लोग घूम फिरकर किनारे पर वापस आये। ऊपर स्पष्ट देख रहे थे कि ज्वालामुखी के मुहाने से बादल तेजी से जा रहे थे। कुछ देर किनारे पर चिकनी बालू में आराम करने के लिये लेट गये और बातें करने लगे। यहाँ से भागने के बारे में भी बात चली। मैंने नेडलैण्ड को आश्वासन दिया कि ''शायद कैप्टेन नेमो यहाँ दक्षिण की ओर केवल सोडियम लेने के लिये ही आया होगा। इसलिये

निराश होने की आवश्यकता नहीं है।"

हम लोगों ने लगभग एक घण्टे तक आराम किया होगा। धीरे-धीरे हम लोगों को नींद आने लगी। मैं तो तुरन्त सो गया। पता नहीं किस समय जगा तो देखा कि मेरे सारे कपड़े भींग गये थे।

"यह क्या?" मैं सोच ही रहा था कि झील के पानी की दूसरी बौछार आयी और हम तीनों भीग गये। अब इस चमत्कार का कारण मेरी समझ में आया। समुद्र के अन्दर आने वाले ज्वार का असर इस झील के पानी पर भी हो रहा था। हम लोग जहाज पर पहुँचे और कमरे में जाकर कपड़े बदल लिये।

मुझे इच्छा हुई कि मैं देखूँ कि जहाज किस रास्ते से समुद्र में वापस जाता है, परन्तु कैप्टेन नेमो ने रात होने तक भी जहाज को छोड़ने की आज्ञा न दी। शायद हम लोगों से छिपाकर इस छिपे रास्ते से निकल जाने का उसका इरादा था।

चाहे जो हो दूसरे दिन सुबह मैंने देखा कि जहाज ऐटलांटिक महासागर पर तैर रहा था।

22

जहाज ने अब तक दिशा बदली नहीं थी। यूरोप के किनारे को देखने की हम लोगों की आशा नष्ट हो रही थी। हम लोग दक्षिण की ओर जा रहे थे।

उस दिन नाटिलस ऐटलांटिक महासागर की एक विचित्र जगह पर पहुँचा। समुद्र के भिन्न-भिन्न भागों में गरम धाराएँ बहती हैं। यह हम लोग जानते ही हैं। इस विशेष गरम प्रवाह को 'गल्फ स्ट्रीम' कहा जाता है। यह 'गल्फ स्ट्रीम' फ्लोरिडा की खाड़ी से निकलकर सीधे रूस के उत्तर स्पिट्ज़बर्गन की ओर जाती है। मेक्सिको की खाड़ी के आगे यह धारा दो भागों में बँट जाती है। एक धारा आयरलैण्ड की ओर होकर नार्वे की ओर जाती है तथा दूसरी धारा कुछ दक्षिण की ओर झुककर ऐजोर्स के द्वीप की ओर होकर अफ्रीका के किनारे से टकराकर ब्राजिल के उत्तर की ओर एटोलस के द्वीप की ओर वापस घूमती है।

एक दूसरी धारा अण्डाकार गोल-गोल घूमती है और अटलांटिक महासागर में उतने भाग को अपनी गरम धारा से घेर लेती है। उस भाग के अन्दर अटलांटिक का पानी झील सा हो जाता है। यह झील उतनी बड़ी है कि उसके चारों ओर गरम धारा को घूमने में पूरे तीन वर्ष लगते हैं। इस जगह को सारागोसा का समुद्र कहते हैं। इस गरम धारा में एक विचित्र प्रकार की घास होती है जिसे स्पेनिश भाषा में

सारागोसा कहते हैं। कहा जाता है कि यह घास अमेरिका के किनारे होकर उस गरम धारा के साथ टकराकर आ गयी होगी। यह भी कहा जाता है कि कोलम्बस ने इसी घास को देखकर सोचा था कि आगे कोई देश होना चाहिए। इस घास की जटा काफी मजबूत होती है तथा कोलम्बस के जहाजों को इसे पार करने में काफी कठिनाई हुई थी।

नाटिलस समुद्र की सतह से नीचे होकर 'गल्फ़ स्ट्रीम' में घूमा। दिन-भर हम लोग सारागोसा समुद्र में घूमते रहे। उसकी विचित्र प्रकार की वनस्पति एवं जानवरों को देखकर हम लोगों ने ऐटलांटिक के तूफानी पानी में प्रवेश किया।

24 घण्टे में 900 मील की रफ्तार से नाटिलस आगे बढ़ रहा था। नेडलैण्ड निराश हो चुका था। अब केवल एक आशा शेष रह गयी थी कि शायद सभी समुद्रों में घुमाकर कप्तान हमें मुक्त कर दें। परन्तु इस बात को कप्तान से पूछा कैसे जाये? यदि यह बात शुरू कर दें तो शायद कप्तान हमारे ऊपर शक करें और हम लोगों पर कुछ प्रतिबन्ध लगा दें।

इस प्रकार 19 दिन बगैर किसी विशेष घटना के घटे, बीत गये। कैप्टेन नेमो भी इन दिनों मुश्किल से दिखाई पड़ता था। शायद इन दिनों वह पढ़ रहा होगा

क्योंकि पुस्तकालय में मैं कई पुस्तकों को खुली पाता एवं कुछेक में निशान किये हुए देखता था। कभी-कभी रात को उसके कमरे से आर्गन की आवाज सुनाई पड़ती थी।

कभी-कभी हम लोगों का जहाज समुद्र की सतह पर तैरने लगता था। समुद्र में शायद कहीं एक दो जहाज दूर-दूर दिखाई पड़ते थे। एक दिन हम लोगों ने एक ह्वेल के शिकारियों का जहाज अपनी ओर आते हुए देखा। वे लोग बेकार परेशान न हों इस हेतु कैप्टेन ने नाटिलस को काफी नीचे डुबो दिया। यहाँ काफी भयानक मछलियाँ दिखाई पड़ीं। डागफिश एवं डाल्फीन नामक मछलियाँ भी मैंने यहीं पर देखी जो जहाज की ओर भूखे भेड़िए की तरह आ रही थी।

23

बारह मार्च तक हम लोग इसी प्रकार चलते रहे। अब तक कुल मिलाकर 39000 मील चल चुके थे। इस समय हम लोगों का जहाज 45^0-37' दक्षिण अक्षांश और 37^0-53' पश्चिम रेखांश पर था। इस जगह समुद्र लगभग 7000 से 8000 फैदम गहरा था। कैप्टेन नेमो ने इस जगह जहाज को रोककर उसे गहरे समुद्र में ले जाने का निश्चय किया। जब मैंने उसके इस निश्चय के बारे में जाना तब मुझे बहुत ही आश्चर्य हुआ। मैंने पूछा, ''कैप्टेन साहब, क्या आप समझते हैं कि इतनी गहराई में आपका जहाज जा सकेगा? और यदि वहाँ तक पहुँच भी गया तो वहाँ पर पानी का दबाव सहन कर सकेगा?''

कैप्टेन ने कहा, ''आपका डर अशतः सही है। यह काफी कठिन कार्य है क्योंकि पानी की जितनी टंकियाँ मेरे पास हैं उतनी सब भी यदि मैं भरकर जहाज को नीचे उतारूँ तब भी वह उतनी गहराई में नहीं जा सकता। परन्तु मैं पानी की टंकियों के बल जहाज को नीचे नहीं ले जाऊँगा। जिस प्रकार मशीन द्वारा मैं जहाज को पानी में चलाता हूँ उसी प्रकार मैं उस गहराई में ले जाना चाहता हूँ। यदि जहाज के पंखे घण्टे की 50 मील की रफ्तार से चलेंगे तो मैं गहराई तक पहुँच सकूँगा और उतनी गहराई तक जहाज को स्थिर रखने के लिये भी पंखे चालू रखने पड़ेंगे। हम लोगों के जहाज की बाहरी चद्दर उतनी मजबूत है कि कुछ समय के लिये तो, पानी का चाहे जितना दबाव हो, सहन कर सकेगा।

कैप्टेन की बुद्धि अपार थी। आदेश देने पर मशीन चालू हो गयी। पंखा चलने लगा। जहाज तिरछा होकर चील की तरह नीचे उतरने लगा। एक हजार, दो हजार,

तीन हजार करके 6000 फैदम की गहराई तक पहुँच गया। समुद्र में इतनी गहराई में भी कहीं-कहीं समद्री जानवर दिखाई पड़ रहे थे। यह देखकर मुझे बड़ा आश्चर्य हो रहा था। जहाज की खिड़की में से दूर-दूर काली आकृतियाँ दिखाई पड़ रही थीं। ये आकृतियाँ समुद्र के अन्दर के पहाड़ों की थीं। पानी के निरन्तर टकराने से यह पहाड़ खूब चिकने हो गये थे और चमक रहे थे। मैं बार-बार मेनोमीटर देखा करता था। जहाज 8000 फैदम तक जाकर रुक गया। वहाँ जमीन आ गयी। समुद्र की गहराई पर जो मैंने शान्ति, अन्धकार और अद्भुत वातावरण का अनुभव किया वह मेरे जीवन का एक बहुमूल्य क्षण था।

बिजली का प्रकाश चारों ओर फैला दिया गया और इस प्रकाश के द्वारा इस दृश्य की फोटो भी खींच ली गयी। इस बीच जहाज का पंखा बराबर चल रहा था।

कैप्टेन ने कहा, "बस! अब हम लोग ऊपर जा रहे हैं। आप स्थिर बैठे रहिए।"

स्थिर बैठने की आवश्यकता पर मैं सोच लूँ उसके पहले ही एक धक्के से मैं बिस्तर पर गिर पड़ा। एकाएक इन्जन बन्द हो गया और तोप से छूटे हुए गोले की तरह नाटिलस पानी के 8000 फैदम पार करके ऊपर उठ आया और एक दम हवा में उछलकर समुद्र की सतह पर गिरा मैंने जहाज के डेक पर जाकर देखा तो विशाल ऐटलांटिक महासागर गरज रहा था।

जहाज अब भी दक्षिण की ओर जा रहा था। मैं सोच रहा था कि वह हॉर्न के अन्तरीप होकर पश्चिम की ओर घूमकर पश्चिम की ओर घूमकर प्रशान्त महासागर में प्रवेश करेगा। परन्तु ऐसा न हुआ। वह हॉर्न के अन्तरीप को एक ओर छोड़कर आगे ही बढ़ रहा था। "अब यह कहाँ जाएगा? कहीं कैप्टेन नेमो का विचार दक्षिण ध्रुव तक जाने का तो नहीं है?" मैं सोच रहा था।

इधर कुछ दिनों से नेडलैण्ड जहाज से आगे जाने के सम्बन्ध में कोई बात न कर रहा था। वह अब बोलता भी कम था। उसके चेहरे से स्पष्ट था कि यह कैद अब उसे बहुत खल रही थी। उसकी आँखों में अक्सर क्रोध-सा चमका करता था।

14 मार्च को कोन्सील को लेकर वह मेरे कमरे में आया।

"कहिये क्या समाचार है?" मैंने पूछा।

"एक बात बताइये, इस जहाज पर कितने आदमी होंगे?" नेड ने पूछा।

"मैं क्या जानूँ?"

"मेरी राय से इस पर ज्यादा आदमी नहीं हैं। इस जहाज में भी कैप्टेन नेमो की तरह आजीवन इसी में रहने वाले मूर्ख लोग रहते होंगे। उन मूर्खों की संख्या कितनी होगी?" नेड ने कहा।

"परन्तु हम लोग और तरीके से हिसाब लगा सकते हैं" कोन्सील भी कहने लगा, "इस जहाज में जितनी हवा का समावेश हो सकता है उसके अनुपात से हिसाब लगाया कि कितने आदमी इसमें रह सकते हैं।"

"परन्तु इससे उसमें कितने आदमी होंगे यह इस प्रकार नहीं बताया जा सकता। ठहरिए मैं हिसाब लगाकर भी बता दूँ। एक व्यक्ति एक घण्टे में 100 लीटर हवा का आक्सीजन प्रयोग करता है। अर्थात् एक व्यक्ति को 24 घण्टे में 2400 लीटर आक्सीजन चाहिए।

यह जहाज 1600 टन का है। एक टन में 1000 लीटर हवा आ सकती है। इस प्रकार नाटिलस में 15,00,000 लीटर हवा रह सकती है। अब 15,00,000 को 2400 से भाग देने पर क्या आयेगा?"

कोन्सील ने हिसाब लगाकर बताया कि "625"

"फिर 625 व्यक्ति इस जहाज में रह सकते हैं।" मैंने कहा।

"क्या?" नेड एवं कोन्सील दोनों को बहुत आश्चर्य हुआ।

मैं नेड तथा कोन्सील दोनों का इरादा समझ गया था। मैंने कहा, "आप लोगों का इरादा बेकार होगा। हम लोगों को शान्त रहने के अतिरिक्त दूसरा इलाज नहीं है?"

"फिर शान्ति?" कहते हुए नेड पैर धमधमाते हुए कमरे से बाहर निकल गया।

24

दूसरे दिन ग्यारह बजे हम लोगों का जहाज समुद्र की सतह पर तैर रहा था। हम लोग डेक पर खड़े थे कि उतने में नेड ने आवाज दी, "देखिए ह्वेल!" मुझे आश्चर्य हुआ क्योंकि ह्वेल शिकारियों के डर से ज्यादातर उत्तर या दक्षिण ध्रुव प्रदेशों में छुपी रहती है।

"आहा हा! कितनी बड़ी है? इस समय एक नाव होती तो कितना मजा आता? देखिए उसकी नाक से कैसे भाप और हवा निकल रही है।" ह्वेल को देखते ही उसका पुराना शौक जागृत हो गया था। वह शिकार के लिये बेचैन होने लगा।

धीरे-धीरे ह्वेल पास आ रही थी। नेड उसी की ओर देख रहा था। "अरे! अरे! ये तो बहुत सारे हैं! दस-बीस हैं! अब मैं क्या करूँ! मैं लाचार हूँ नहीं तो..." नेड ने गुस्से में पैर पटके।

"परन्तु कप्तान से अनुमति ले लेना?" कोन्सील ने राय दी।

नेड तुरन्त नीचे उतर कर कैप्टेन के पास गया। कुछ देर में वह और कैप्टेन दोनों ऊपर आये।

कैप्टेन नेमो ने समुद्र पर नजर डाली। "अरे! यह तो दक्षिण की ह्वेलें हैं।"

"क्यों इनका शिकार नहीं हो सकता?" नेड ने पूछा।

"किसलिये? इस समय हमें जहाज में उसके तेल या किसी भी पदार्थ की आवश्यकता नहीं है।"

"क्या किसी वस्तु की आवश्यकता हो तभी शिकार करना चाहिए?"

"अवश्य! जब जरूरत हो तभी लाचार होकर शिकार करना चाहिए। यह कैसे हो सकता है कि हम लोग केवल अपनी मौज के लिये बेकार में उनकी जान ले लें? जीने का अधिकार जितना आपको है उतना ही उनको भी है। इन बेचारी ह्वेलों के भी समुद्र में कई दुश्मन हैं। शार्क, केचेलाट आदि भयानक मछलियाँ उन्हें चैन से बैठने नहीं देतीं। क्या आप उसमें और भी वृद्धि करना चाहते हैं?"

इस धर्मोपदेश का नेड पर कोई असर न हुआ। नेड ने यही समझा कि मुझे शिकार के लिये मना किया जा रहा है।

"देखो, दूर-दूर लगभग आठ मील पर आपको पानी में कुछ तैरता हुआ नजर आ रहा है?" कैप्टेन ने मुझसे पूछा।

"हाँ!"

"यही इस ह्वेल की शत्रु है! लगता है कि केचेलाट नामक मछलियाँ इन ह्वेलों के पीछे पड़ी हैं। ये मछलियाँ बहुत कूदने वाली एवं भयानक होती हैं। उन्हें मारने में कोई पाप नहीं है?" कैप्टेन ने कहा।

नेडलैण्ड तैयार हो गया, "तो कैप्टेन साहब, अभी हम लोग नाव से जाएँगे?"

"नहीं, नहीं! अकेले नाव पर जाने में तो मौत निश्चित है। ये कोई साधरण मछलियाँ नहीं हैं। परन्तु आप देखिए हमें कोई मेहनत नहीं करनी पड़ेगी। मेरा जहाज ही इन मछलियों का मुकाबला करने को पर्याप्त है और आप एक नये प्रकार का शिकार भी देखेंगे।"

इस बीच ह्वेलों का झुण्ड पास आ पहुँचा। वह घबड़ाहट में इधर-उधर भाग रहा था। इतने में समुद्र का पानी इतने जोर से खलबला उठा कि हमारा जहाज भी हिलने लगा। उनके पीछे काफी तेज रफ्तार से केचेलाट का झुण्ड भी आ रहा था। केचेलाट की चाल के आगे ह्वेलें पहुँच न सकीं। सब एक हो गये और भयानक युद्ध चालू हो गया। केचेलाट बहुत मजबूत मछलियाँ होती हैं। वे ज्यादा देर तक पानी में रह सकती हैं। देर डुबकी लगाकर वे ह्वेल पर एकाएक आक्रमण कर देती हैं और अपने पैने दाँतों से उन्हें काटती-चीरती आगे बढ़ जाती हैं।

कँपकँपी आने वाला यह दृश्य था। कैप्टेन नेमो तुरन्त ही केचेलाट के पंजों से ह्वेलों को मुक्त करने को तैयार हो गया। उसने पतवार घुमाकर ह्वेल और केचेलाट के बीच में नाटिलस को डाल दिया।

जहाज के आगे आरी जैसा पंखा था, उसे कैप्टेन नेमो ने चालू कर दिया। जिस प्रकार लकड़ी चीरी जाती है उस प्रकार केचेलाटें इस पंखे के बीच दो भागों में बँट जाती थी। यदि केचेलाट डुबकी लगाती तो जहाज भी डुबकी लगाकर उसका पीछा करके उन्हें चीर देता। एक एक करके, केचेलाट को पकड़कर कैप्टेन उसका नाश करने लगा।

समुद्र का पानी केचेलाटों के खून से लाल हो गया। उनकी मृत्यु की चीखें कान को भेद देती थीं। ह्वेलें तो जान बचाकर भाग गयीं। केचेलाटों में से अधिकतर मारी गयीं। बाकी भाग गयीं।

हमारा जहाज खून के समुद्र से आगे बढ़ने लगा। नेडलैण्ड कैप्टेन की यह शक्ति देखकर आश्चर्यचकित हो गया।

आगे बढ़कर लगभग एक मील दूर पर हम लोगों ने एक ह्वेल को तैरती हुई देखा। वह आधी उलट गयी थी। उसका एक बच्चा भी उससे चिपटा हुआ था। दोनों केचेलाटों द्वारा घायल होकर मर गये थे। ह्वेल अभी मरी हुई दिखाई पड़ती थी। कैप्टेन ने तुरन्त नाव से एक आदमी वहाँ भेजा। कुछ देर में दो वर्तनों में दूध भर कर वह वापस आया।

"देखिए! प्रोफेसर एरोना! यह ह्वेल का दूध। ह्वेल अभी मरी हुई है। दूध ताजा है! गाय के दूध से यह किसी प्रकार कम नहीं है। आप पीकर देखिए।" एक गिलास में दूध मैंने पिया। वह स्वाद में गाय के दूध के बराबर था।

जहाज अभी दक्षिण की ओर ही बढ़ता चला जा रहा था। यह इस प्रकार कहाँ तक जाता रहेगा? कहीं कैप्टेन नेमो का इरादा दक्षिण ध्रुव तक जाने का तो नहीं है? नहीं, नहीं, वहाँ अब तक कोई नहीं जा सका है और यदि कैप्टेन यह साहसिक कार्य करने की हिम्मत करे भी तो ऋतु अनुकूल नहीं है।

14 मार्च को 55^0 पर पहली बार मैंने एक बर्फ के टुकड़े को तैरता हुआ देखा। यह टुकड़ा लगभग 20 से 25 फुट लम्बा था। धीरे-धीरे ऐसे और भी टुकड़े रास्ते में मिलने लगे। ज्यों-ज्यों आगे बढ़ते गये त्यों-त्यों सूर्य की किरणों से चमकते हुए बर्फ के पहाड़ संख्या में एवं आकार में बढ़ते ही गये। इन बर्फ के द्वीपों पर दक्षिण ध्रुव निवासी पक्षी हजारों की संख्या में बैठकर अपनी तेज आवाज में वातावरण को शोरगुल से भर रहे थे। उनमें कोई-कोई हम लोगों के जहाज को कोई भारी समुद्री जीव समझकर हमला करते तथा जहाज पर बैठकर उस पर चोंचें मारते थे।

नाटिलस सतह पर ही चल रहा था। यह ठीक भी था। वह अपना रास्ता बर्फ के पहाड़ एवं द्वीपों के बीच होकर निकाल रहा था। मैं भय मिश्रित कौतूहल से देख रहा था। इस प्रदेश का प्राकृतिक सौन्दर्य अवर्णनीय है। बर्फ के बड़े-बड़े पहाड़ों पर से गिरती बड़ी-बड़ी चट्टानें, उसके पानी में गिरने की आवाज, मदमस्त हाथी की तरह बर्फ के बड़े-बड़े पहाड़ इस दक्षिण ध्रुव प्रदेश में स्वच्छन्द विहार कर रहे थे। कहीं, कहीं, बर्फ को तोड़कर आगे बढ़ रहा था। कहीं-कहीं कुदाल का प्रयोग भी करना पड़ता था। बर्फ ऊपर से भी गिर रही थी। तापक्रम 5^0 तक पहुँच चुका था। जहाज की दिशा का निर्णय करना कठिन हो गया था क्योंकि पृथ्वी के ध्रुव एवं चुम्बकीय ध्रुव के बीच का अन्तर निकालना कठिन कार्य था।

अन्त में 18 मार्च को प्रकृति के आगे मानव निर्मित नाटिलस हार गया। उसका रास्ता सब तरफ से बन्द हो गया। चारों ओर बर्फ ही बर्फ था। दक्षिण ध्रुव के बर्फीले चौकीदार मानों कन्धे से कन्धा मिलाकर जहाज को चारों ओर से घेर रहे हों, इस प्रकार नाटिलस चारों ओर से बर्फ से घिर गया था। जहाज रुक गया। पानी कहीं पर दिखाई न पड़ता था। चारों ओर बर्फ ही बर्फ था।

नेड ने आकर मुझसे कहा, ''कहिए, प्रोफेसर साहब, आपके कैप्टेन नेमो भी फँस गये न?'' मानो वह कैप्टेन की असफलता देखकर कुछ खुश हो रहा था।

''अभी कैसे कहा जा सकता है?''

''तो आप को अब भी आशा है। क्यों? इसमें शक नहीं कि कैप्टेन बहुत ही बुद्धिमान है। परन्तु प्रकृति के आगे किसी की नहीं चलती। अब भी यदि वापस उत्तर की ओर जायें तो हो सकता है यहाँ से निकल सकें।''

नेड सच कह रहा था। बर्फ की दीवारों को भेदकर आगे कैसे बढ़ सकते थे। बर्फ पर चलने वाला कोई 'स्लेज' भी पास में नहीं था।

इस बीच जहाज बर्फ तोड़ने का असफल प्रयास कर रहा था।

मैं भी जहाज के डेक पर आया और यह देखने लगा। इतने में पीछे से आवाज आयी, ''कहिए प्रोफेसर साहब! अब क्या करेंगे?'' कैप्टेन नेमो मेरे पास आकर खड़ा हो गया था।

''मेरे विचार से हम लोग फँस गये हैं।''

''फँस गये हैं, क्या मतलब?''

''अर्थात् अब हम लोग न आगे न पीछे, कहीं भी नहीं जा सकते।''

''प्रोफेसर साहब, आप केवल कठिनाई ही देख रहे हैं। परन्तु जब हम लोग यहाँ तक पहुँच गये हैं तब आगे बढ़ने के अतिरिक्त और क्या उपाय है?''

''अभी आगे बढ़ना है?'' मैंने आश्चर्यचकित होकर पूछा।

"अवश्य। दक्षिण ध्रुव तक पहुँचना जो है।" कैप्टेन ने शान्ति से कहा।

"दक्षिण ध्रुव।" मेरे मुँह से निकल पड़ा।

"हाँ! हाँ! दक्षिण ध्रुव जहाँ अब तक कोई नहीं पहुँचा है। मैं भी नहीं गया हूँ। उसकी खोज में आज हम दोनों जा रहे हैं। हमें आगे बढ़ना ही चाहिए।" कैप्टेन ने कहा।

"परन्तु यह कैसे होगा?"

"क्यों? हम लोग बर्फ को तोड़ देंगे और यदि तोड़ नहीं पाएँगे तो ऊपर होकर चलेंगे।"

"ऊपर होकर?"

"नहीं-नहीं ऊपर होकर नहीं, परन्तु नीचे होकर। कहने में ग़लती हो गयी थी।"

मेरे मन में नया प्रकाश पड़ा। बहुत दिनों से जहाज पानी के ऊपर चल रहा था। मैं भूल ही गया था कि वह पानी के नीचे भी चल सकता है।

"कहिए अब आपकी समझ में आ गया कि हम लोग जा सकते हैं? यदि दक्षिण ध्रुव पर जमीन होगी तो हम लोग उसके किनारे उतरेंगे और यदि समुद्र होगा तो जहाज सीधे दक्षिण ध्रुव पर खड़ा हो जाएगा।"

"हाँ, यह ठीक है! बर्फ जितना बाहर दिखाई पड़ता है उससे तीन गुना पानी के भीतर होता है। सामने दिखाई पड़नेवाले पहाड़ अधिक से अधिक 300 फुट ऊँचे हैं अर्थात् ज्यादा से ज्यादा हमें 900 फुट तक गहराई में जाना पड़ेगा।"

"और 900 फुट माने कुछ नहीं। परन्तु एक कठिनाई पड़ेगी। वह यह है कि हमें ज्यादा देर तक समुद्र के नीचे रहना पड़ेगा इस कारण ताजी हवा नहीं मिल सकेगी।" कैप्टेन ने शंका की।

मेरा उत्साह बढ़ता जा रहा था। मैंने कहा, "हम अपनी सभी टंकियाँ हवा से भर लें। उनमें से काफी समय तक हवा मिलती रहेगी।

"बिल्कुल ठीक!" कैप्टेन कुछ हँसा, परन्तु एक कठिनाई और है कि यदि दक्षिण ध्रुव पर पानी या जमीन की जगह केवल जमी हुई बर्फ होगी तो?"

"तब क्या? हमारी नाटिलस उसे तोड़कर ऊपर आयेगी। परन्तु जैसे उत्तर ध्रुव पर समुद्र है वैसे दक्षिण ध्रुव में समुद्र क्यों न होगा?"

कैप्टेन नेमो ने कहा, "प्रोफेसर साहब, आज आपने मेरी हिम्मत बढ़ाई है और मेरे मन में जो भी थोड़ी बहुत निराशा थी उसे हटा दिया है। अब हम लोग अवश्य आगे बढ़ेंगे।"

कैप्टन ने तुरन्त एक व्यक्ति को बुलाया और उसे विचित्र भाषा में कुछ आदेश

दिया। दूसरे क्षण में जहाज की टंकियाँ हवा से भरी जाने लगी और बाद में पानी की टंकियाँ भी। मैं कैप्टेन नेमो के साथ जहाज के अन्दर चला गया। दरवाजा बन्द हो गया और जहाज धीरे-धीरे नीचे उतरने लगा।

मैंने नेड तथा कोन्सील को यह बात बतायी। नेड ने कहा, ''अब तक यहाँ पर एक बेवकूफ था, अब दो हो गये। आप दक्षिण ध्रुव पर शायद पहुँच जायें परन्तु वापस न लौटेंगे।''

''परन्तु हम लोग सब साथ ही हैं।'' मैंने मजाक किया।

''हाँ! यही तो दुर्भाग्य है।''

जहाज के आस-पास की बर्फ कुल्हाड़ी से तोड़ दी गयी और इससे उसको पानी में नीचे उतरने में कोई कठिनाई न हुई। जल्दी ही वह 900 फुट नीचे उतर गया। सुरक्षा के लिये वह कुछ और भी नीचे उतार दिया गया। जैसा हम सोचते थे, वहाँ पानी था। नाटिलस आगे बढ़ने लगा। तापक्रम 10^0 था।

जहाज साधारण गति से आगे बढ़ता जा रहा था। कोन्सील मेरे समीप ही था। उसने कहा, ''अब लगता है कि हम लोग निर्दिष्ट स्थान पर पहुँच जाएँगे।''

ज्यों-ज्यों जहाज आगे बढ़ रहा था त्यों-त्यों मेरा कौतूहल भी बढ़ता जा रहा था। मैं शायद ही सो पाता। दिन-रात मेनोमीटर देखा करता था। कभी-कभी बर्फ के कारण जहाज 1000 से 2000 फुट नीचे ले जाना पड़ता था। कहीं-कहीं तो 500 फैदम तक ले जाना पड़ा। जहाज समुद्र की सतह से कितनी दूर था? अभी टंकी से हवा निकलने की आवश्यकता पड़ी नहीं थी। रात को आठ बज गये थे। सोने का समय हो गया था। मुझे निद्रा आ रही थी परन्तु आशा-निराशा के बीच मेरा मन लहरें ले रहा था। मैं कभी-कभी चौंक भी पड़ता था। सुबह तीन बजे लगा कि बर्फ की तह पतली होती जा रही है। मेनोमीटर की सुई बता रही थी कि हम लोगों का जहाज समुद्र की सतह से केवल 25 फैदम नीचे है। यह अन्तर भी धीरे-धीरे कम होता जा रहा था। जहाज ऊपर चढ़ता जा रहा था।

अन्त में 19 मार्च की सुबह छः बजे कैप्टन नेमो मेरे कमरे में आया।

''समुद्र की सतह आ गयी।'' वह बोला।

25

मैं दौड़ता-दौड़ता जहाज के डेक पर गया। आगे खुला समुद्र दिखाई पड़ा। कहीं-कहीं बर्फ के छोटे-छोटे टुकड़े तैरते हुए दिखाई पड़ रहे थे। आकाश में पक्षी भी उड़ रहे

थे। तापक्रम 3^0 था।

लगभग दस मील दूर एक छोटा-सा द्वीप दिखाई पड़ा। नाटिलस उसी ओर ले जाया गया। कुछ देर में हम लोग किनारे पर पहुँच गये। कई दिनों बाद हम लोग जमीन पर पैर रख रहे थे। द्वीप समुद्र की सतह से लगभग 600 फुट ऊँचा था। वह अधिक से अधिक पाँच मील तक फैला हुआ होगा। हम जहाज को किनारे तक न ले गये परन्तु उसे लगभग आधे मील दूर तक रखकर नाव पर बैठ गये। हम लोगों की नाव जैसे ही किनारे पर रुकी वैसे ही कोन्सील कूदने जा रहा था कि मैंने उसे रोका। मैंने कहा, ''सर्वप्रथम इस भूमि पर कदम रखने का अधिकार कैप्टेन नेमो को है।''

सबने यह बात मान ली और धीरे-धीरे कैप्टेन नेमो किनारे पर उतरा। उसके पीछे हम लोग उतरे। मैं तथा कैप्टेन दोनों ऊपर चढ़ने लगे। कोन्सील आदि पीछे नाव में रह गये। उसके और नेड के लिये शिकार का काम तैयार था।

इस जगह वनस्पति बहुत कम था। जो थी वह भी छोटी-छोटी घास एवं पौधों तक सीमित थी। परन्तु वहाँ पर पक्षी असंख्य थे। जमीन पर पैंग्विन पक्षियों का झुण्ड काले कोट पहने खड़ा था। मानो ध्रुव प्रदेश के वकील जन हम लोगों का स्वागत कर रहे हों।

ऊपर चढ़ते-चढ़ते मैं उन पक्षियों की बड़ी-बड़ी गुफाएँ, अण्डे, छोटे-छोटे बच्चे आदि देखता जा रहा था। कैप्टेन नेमो मुझसे आगे निकल गया था। जब मैं उसके पास पहुँचा तब वह हाथ पर हाथ रखकर स्थिर और शान्त चेहरे से आकाश की ओर देख रहा था। लग रहा था कि वह सूर्य के निकलने की प्रतीक्षा कर रहा है। आकाश में इतना घना कोहरा था कि हम लोग दोपहर के ग्यारह बजे तक प्रतीक्षा करते रहे परन्तु वह दृष्टिगोचर न हुआ।

''हमें कल तक यहाँ रुकना पड़ेगा। वगैर सूर्य के कैसे निश्चित किया जा सकता है कि हम लोग दक्षिण ध्रुव पर हैं या नहीं।'' ''कैप्टेन नेमो इतना कहकर नीचे उतरा। मैं भी पीछे पीछे चला। हम लोग जब जहाज में पहुँचे तब ताजे शिकार का बना खाना तैयार रखा हुआ था।

दूसरे दिन अर्थात् 20 मार्च को हम लोग फिर द्वीप पर जाने को निकल पड़े। आज कोहरा एवं बर्फ दोनों कम थे। परन्तु ठंडक जरा ज्यादा थी। हम लोग किनारे पर उतरे। वहाँ हम लोगों ने किनारे बालू पर अनेक सीलों को लेटे और खेलते देखा। उनके छोटे-छोटे बच्चे भी अपनी माँ की पीठ पर खेलते-कूदते दिखाई पड़ रहे थे। वे यहाँ कितने निर्भय थे! अमेरिका या इंग्लैण्ड के किनारे पर क्या इस प्रकार का दृश्य सम्भव है? अरे! वहाँ हो भी कैसे सकता है? एक सील वहाँ दिखाई नहीं पड़ा

कि शिकारियों का झुण्ड उस पर टूट पड़ेगा।

इसके अलावा वहाँ पर वालरस नामक और भी ज़ानवर चिल्लाते हुए एक दूसरे के साथ खेल रहे थे। साधारण तौर पर वालरस डरपोक होते हैं परन्तु यदि कोई उसके बच्चों को पकड़ने जाये तो वे बिल्ली की तरह भयानक हो जाते हैं। मैं और कोन्सील चुपचाप यह सब देख रहे थे। जब हम लोग घूम फिर कर वापस पहुँचे तब कैप्टेन नेमो सूर्य की प्रतीक्षा में खड़ा था। काफी देर खड़े रहने के बाद मेरी ओर घूमकर कहने लगा, "आज भी सूर्य के निकलने की सम्भावना नहीं है। अब हम लोगों को कल तक और रुकना पड़ेगा।"

"हाँ। और आपको यह भी याद होगा कि कल 21 मार्च है। कल से सूर्य उत्तरायण की ओर प्रस्थान करेगा। अर्थात् दक्षिण ध्रुव की लम्बी रात शुरू होगी। उस हालत में हमें दक्षिण ध्रुव का स्थान निश्चित करने के लिये यहाँ छः माह के लिये रुकना पड़ेगा।"

"हाँ! यह मैं भी सोच रहा हूँ। परन्तु यदि छः महीने भी बीत जाये तब भी यह तो तय करना ही होगा कि यह दक्षिण ध्रुव है या नहीं। हम लोग सब साथ ही हैं।"

यदि कल सूर्य नहीं दिखाई पड़ा तो यहाँ छः महीने तक रुकना पड़ेगा इस विचार से मुझे कँपकँपी आ गयी। परमात्मा से प्रार्थना करते हुए कि कल सूर्य दिखाई पड़े, मैं कैप्टेन नेमो के साथ जहाज पर वापस आ गया। वापस लौटते हुए रास्ते में पैंग्विन का एक सुन्दर अण्डा भी मिला।

21 मार्च की सुबह हो गयी। सौभाग्य से आकाश स्वच्छ था। हमें आशा हुई कि सूर्योदय होगा। हम लोग फिर नाव पर बैठकर किनारे पर गये और उस चोटी पर एक उम्दा जगह ढूँढ़कर वहीं बैठ गये। साथ में एक घड़ी, दूबरीन तथा बैरोमीटर था।

लगभग ग्यारह बजे हम लोग उस चोटी पर पहुँच गये। ठीक बारह बजे हम लोग उस स्थान का अक्षांश तथा रेखांश निश्चित करनेवाले थे। मैं मेनोमीटर लेकर खड़ा था। बेरोमीटर से ऊँचाई निश्चित ही हो चुकी थी। केवल बारह बजने की देर थी।

पौने बारह हो गये। क्षितिज में सूर्य का बिम्ब दिखाई पड़ने लगा। मानो सोने का बहुत बड़ा थाल। सूर्य अपनी अन्तिम किरणों को इस निर्जन स्थान पर फेंक रहा था और बर्फ को सोने से मढ़ रहा था। मैं घड़ी लेकर खड़ा था। सूर्य का ठीक आधा भाग यदि ठीक बारह बजे दिखाई पड़े तो यह जगह दक्षिण ध्रुव है इस बात का निश्चय हो सकता था। परिणाम सुनने के लिये मेरा हृदय धक-धक कर रहा था।

बारह बज गये। मैं बोल उठा, ''बारह!'' दूसरी ही क्षण में कैप्टेन भी बोल पड़ा, ''दक्षिण ध्रुव!''

कैप्टेन नेमो के सूर्य बिम्ब देखने के लिये रखे शीशे में धीरे-धीरे डूबता आधा सूर्य दिखाई पड़ा, परन्तु धीरे-धीरे ही वह अदृश्य होता गया। कुछ देर में बिल्कुल अदृश्य हो गया।

''प्रणाम! हे जगत् के जीवन दाता!! तुम अब इस समुद्र में आराम करो। और इस पूरे प्रदेश में छः मास के लिये अँधेरे का साम्राज्य कायम करो।'' कैप्टेन ने गम्भीर आवाज में सूर्य की ओर देखकर कहा।

कुछ क्षण बाद उसने मेरी ओर घूमकर कहा, ''प्रोफेसर, अब तक इस जगह पर पहुँचने के लिये बहुत लोगों ने प्रयत्न किया है। आप यह सब जानते होंगे? आज मैं इस प्रदेश को अपने कब्जे में लेता हूँ, किसी और के नाम नहीं केवल अपने नाम से।''

उसने अपने पास से एक छोटा काला झण्डा निकाल कर हवा में लहराया। झण्डे के बीच में सुनहले शब्दों से अँग्रेजी 'एन' अक्षर चमक रहा था।

26

बाईस मार्च को सुबह छः बजे हम लोगों का जहाज प्रयाण के लिये तैयार हो गया था। सन्ध्या का हल्का प्रकाश धीरे-धीरे रात्रि में विलीन हो रहा था। आकाश के

मध्य में स्वस्तिक का नक्षत्र मंडल चमक रहा था। थर्मामीटर में पारा शून्य के नीचे 12^0 तक उतर चुका था। पवन इस प्रकार चल रहा था मानों तीक्ष्ण तीर बदन को बेधते हों। बर्फ के बड़े-बड़े टुकड़े एक-दूसरे से मिलकर देखते-देखते ही चट्टान हो रहे थे।

बर्फ का मौसम शुरू होने के पहले ही ह्वेल आदि जानवर यहाँ से पलायन कर जाते हैं। केवल सील मछलियाँ इधर-उधर बर्फ पर आनन्द से कूद रही थीं। कहीं-कहीं वे लोग अपने लिये बर्फ में गुफाएँ खोदती भी नजर आ रही थीं।

इन बर्फ की चट्टानों के बीच नाटिलस का समुद्र की सतह पर चलना असम्भव था। इसलिये तुरन्त ही पानी की टंकियाँ भरी जाने लगीं और जहाज नीचे डूबने लगा। लगभग एक हजार फुट नीचे उतरने के बाद वह उत्तर की ओर घण्टे में पन्द्रह मील की गति से चलने लगा। शाम होने पर हम लोगों का जहाज बर्फ की छत के नीचे चल रहा था।

सैलून की खिड़कियाँ बन्द थीं क्योंकि बर्फ का कोई टुकड़ा यदि शीशे से टकरा जाता और शीशा टूट जाता तो जहाज के डूब जाने की सम्भावना थी।

इस समय मैं अपने कमरे में बैठकर शान्ति से पढ़ने-लिखने का कार्य किया करता था। डायरी के पिछले पृष्ठ उलटकर, देखने लगा, जिसमें अब तक साढ़े पाँच महीने की 42,000 मील की यात्रा का वर्णन लिखा था।

कितने चित्र-विचित्र दृश्य थे वे! कैसी-कैसी विचित्र घटनाएँ! कैप्टन नेमो की रहस्यमयता! क्रैप्सो का द्वीप, पापुअन लोगों के साथ युद्ध, सीलोन द्वीप के पास मोती निकालना, वीगो की खाड़ी, अटलांटिस नगर, दक्षिण ध्रुव आदि जगहें एक के बाद एक मेरे स्मरण पटल पर आ रही थीं। कैप्टेन नेमो की आँखें हर समय मेरे सामने रहती थीं।

रात को सोते हुए भी मुझे यही विचार आ रहे थे। नींद में स्वप्न भी इन्हीं संस्मरणों के आते थे। एकाएक लगभग तीन बजे जहाज को एक सख्त धक्का लगा। मैं चौंककर उठ पड़ा। देखा कि बिस्तर से काफी दूर गिर पड़ा हूँ। वहाँ से उठकर सैलून में गया तो वहाँ पर मेज-कुर्सी आदि उल्टी-सीधी गिरी पड़ी थीं। कमरे के दोनों ओर की दीवारें ऊँचे-नीचे हो गयी थीं और छत तथा फर्श तिरछी थीं।

मैं घबड़ाया! कुछ देर के लिये मैं उसे स्वप्न समझने लगा। परन्तु उतने में ही नेड एवं कोन्सील भी मेरे पास आये। "क्या हुआ है?" मैंने तुरन्त पूछा।

"हम लोग भी आप से यही पूछने आये हैं।"

ऐसी विचित्र घटना अब तक कभी नहीं घटी थी। हम लोग तुरन्त कैप्टेन नेमो की तलाश में निकले। कैप्टेन पतवारियों की कैबिन पर होगा ऐसा मुझे लगा। अतः

उसकी राह देखते-देखते कैबिन में चढ़ने की सीढ़ी के पास खड़े हो गये। थोड़ी देर में कैप्टेन नेमो सीढ़ी पर से नीचे उतरते हुए दिखाई पड़े। और जैसे हम लोग खड़े ही न हों, सीधे दीवान खाने में चला गया। हम लोग भी उसके पीछे-पीछे गये। वह कभी मेनोमीटर की सुई पर निगाह दौड़ाता कभी कंपास की ओर देखता था कभी समुद्र के नक्शे की ओर देखता था। मैंने उसे बीच में टोका नहीं। काफी देर बाद वह मेरी ओर घूमा। मैंने तुरन्त ही पूछा, "कहिए क्या हुआ है?"

"कुछ नहीं। एक ऐक्सीडेण्ट हुआ है।"

"क्या काफी गम्भीर ऐक्सीडेण्ट हुआ है?"

"हाँ! लगता तो ऐसा ही है।"

"क्या जहाज किसी वस्तु के साथ टकरा गया है?"

"नहीं, परन्तु जहाज के साथ कोई वस्तु टकरा गयी है। एक बहुत बड़ा बर्फ का पहाड़ उलट गया है। आप जानते हैं कि जब बर्फ का पहाड़ नीचे से धीरे-धीरे गरम वातावरण में पिघलता है तब उसके गुरुत्वाकर्षण का केन्द्र भी ऊँचे आता जाता है। बर्फ के पहाड़ को नीचे से किसी दूसरी वस्तु का धक्का लगने पर भी ऐसा ही होता है। और ऐसा होने पर पूरा पहाड़ उलट जाता है। इस समय भी ऐसे ही हुआ है। नाटिलस के नीचे एक पहाड़ घुस गया है और उसने नाटिलस को नीचे से पलटना शुरू कर दिया है और इसलिये जहाज टेढ़ा हो गया है। हमारे खलासी पानी की टंकियाँ खाली करके जहाज को हल्का करके सीधा करने का प्रयत्न कर रहे हैं। परन्तु वास्तविक परेशानी एक और है।"

"वह क्या है?"

"वह यह है कि यह पहाड़ इसी प्रकार नाटिलस को ऊपर ले जाएगा जहाँ ऊपर से भी बर्फ की छत आ जाएगी और दोनों ओर बर्फ के बीच जहाज फँस जाएगा।

कैप्टेन के मुँह पर अन्तिम वाक्य बोलते हुए वेदना के लक्षण स्पष्ट दिखाई पड़े।

हम सब इस जहाज का और साथ ही अपना भी विनाश स्पष्ट देख रहे थे। पानी के पम्प जोरों से काम कर रहे थे। इतने में जहाज के वजन के घटने या किसी और कारण से जो भी हो जहाज तो सीधा हो गया। परन्तु उससे हम लोगों की कठिनाई का अन्त हुआ, यह तो नहीं कहा जा सकता। नीचे का बर्फ का पहाड़ धीरे-धीरे अन्दर के पानी की गरमी से घुलता हुआ तथा वजन में हल्का होता हुआ ऊपर आता जा रहा था और साथ ही हमारा जहाज भी। हमें किस रास्ते से आगे बढ़ना चाहिए इस प्रश्न का हल कठिन हो गया।

एकाएक हम लोगों का जहाज रुक गया और सैलून की खिड़कियाँ खुल गयीं। बिजली के प्रकाश में मैंने देखा तो एक अद्भुत दृश्य दिखाई पड़ा। सामने लगभग 30 फुट दूर बर्फ की दीवार थी। उसके ऊपर बिजली के प्रकाश के परावर्त्तन से सामने जो प्रकाश पड़ता था वह आँखों को चौंधिया देने वाला था। दीवानखाने में बिजली का प्रकाश था परन्तु उसी बर्फ से परावर्त्तित होकर आने वाले प्रकाश से समूचा जहाज जगमगा रहा था। हमारे जहाज के ऊपर भी बर्फ की छत थी। उस पर से भी जब पानी टपकता था तब लगता था कि मानो हीरे टपक रहे हों और हम लोग किसी हीरे की बड़ी खान के बीच पहुँच गये हों।

हम लोगों के जहाज के दोनों ओर तीस-तीस फुट दूर बर्फ की दीवारें थीं। नीचे का घुलता हुआ बर्फ का पहाड़ भी दोनों ओर की दीवारों को छू चुका था। ऊपर भी बर्फ की दीवार थी। हम लोग समुद्र की सतह से लगभग 1000 फुट नीचे थे। यह दृश्य जितना सुन्दर था उतना ही भयानक भी था। यह विचार मुझे तब आया जब मैंने यह सब देखा। हम लोग बर्फ के बीच एक छोटी-सी नहर में फँस गये थे। नाटिलस कुछ देर नहर में रुक कर आगे चलने लगा। फिर दीवानखाने की खिड़कियाँ बन्द कर दी गयीं क्योंकि नहर काफी तंग थी और इस कारण खतरा था। लगभग आधा घण्टा चलने के बाद फिर एक छोटा-सा झटका लगा और जहाज रुक गया। शायद आगे रास्ता बर्फ से बन्द था।

जहाज अब पीछे चलने लगा। मेनोमीटर में भी गति की दशा दक्षिण की ओर दिखाई पड़ती थी।

धीरे-धीरे हम लोगों की चिन्ता बढ़ रही थी। मैं अकेला घबड़ाने लगा। कोन्सील एवं नेड को मैंने अपने पास बुलाया। मैंने कहा, "हम लोग जब तक इस नहर से सही सलामत निकलें तब तक तुम दोनों मेरे पास ही रहो। हम तीनों साथ ही जियेंगे और साथ ही..." आगे वाक्य मैं पूरा न कर सका।

कुछ घण्टे बीत गये। घण्टे में बीस मील की गति से नाटिलस चल रहा था। ऐसी भयंकर नहर में इतनी तीव्र गति से भागने की हिम्मत कैप्टेन नेमो में ही हो सकती थी। यह भी ठीक ही था कि जितना जल्द इस खतरे से बाहर निकल जायें उतना ही अच्छा था।

फिर दूसरा झटका लगा। यह झटका जहाज के पीछे के हिस्से में लगा था। मैं लगभग गिर ही गया था। कोन्सील ने मुझे पकड़ लिया। हम तीनों एक दूसरे की ओर देख रहे थे। कुछ देर में कैप्टेन अन्दर आया।

"क्यों? दक्षिण के रास्ते में भी कुछ आगे आ गया।"

"हाँ, बर्फ का एक पहाड़ हम लोगों का रास्ता रोककर खड़ा है।"

"तब हम लोग फँस गये हैं।"

"हाँ!"

27

नाटिलस दसों दिशाओं से घिर गया था। हम लोग सभी ओर से बर्फ से फँस गये थे।

हम लोग दीवानखाने में सन्न होकर खड़े थे। कैप्टेन नेमो स्थिर दृष्टि से नीचे की ओर झुककर हाथ पर हाथ रखकर खड़ा था। हम लोग उसी की ओर देख रहे थे। समूचा जहाज स्तब्ध था।

कैप्टेन कुछ देर बाद बोला, "साथियो यदि हम लोगों की मृत्यु होगी तो केवल दो तरीकों से।" उसकी आवाज कुछ शान्त थी फिर भी काँप रही थी। "या तो हम लोग चारों ओर बर्फ से कुचल कर मर जाएँगे या हम लोग बगैर हवा के मर जाएँगे। भूख से मरेंगे नहीं क्योंकि नाटिलस में खाना पर्याप्त मात्रा में है। परन्तु हवा केवल दो दिन और दो रात के लिये ही है। इसी समय के अन्दर हम लोगों को इस बर्फ की कैद में से निकलना है। आदमियों को लेकर मैं सब दीवारों की जाँच करके देखता हूँ कहाँ पर वह कम से कम मोटी है। उसी को तोड़कर नाटिलस को हम बाहर निकालेंगे। मेरे आदमी कुदाल फावड़े लेकर और गोताखोरी के कपड़े पहनकर तैयार हैं और मैं जा रहा हूँ।"

कैप्टेन जा ही रहा था कि नेड बोल उठा, "मैं भी साथ चल रहा हूँ। नेड के हाथ जैसे हारपून चला सकते हैं वैसे ही कुदाल भी चलाएँगे। मेरे लिये भी कपड़े व कुदाल तैयार कराइये।"

"तो चलो मेरे साथ!" कैप्टेन नेमो ने कहा।

नेडलैण्ड से मुझे यह आशा न थी। मुझे भी उत्साह आ गया। कैप्टेन के जाने के बाद मैं दीवानखाने की खिड़की खोलकर बैठा। कुछ देर में मैंने नीचे बर्फ पर कुछ आदमी चलते हुए देखे। सभी एक ही पोशाक में थे फिर भी कैप्टेन अपने विशाल शरीर से स्पष्ट रूप से पहचाना जा रहा था। उसके हाथ में लोहे की एक बहुत बड़ी सलाख थी। उसे वह बर्फ में इधर-उधर खोंस रहा था और कुछ निरीक्षण कर रहा था। अन्त में एक जगह निश्चित हो गयी और कैप्टेन ने वहाँ पर जहाज के आकार का एक बड़ा निशान बनाया। उसके आदमी उसी पर कुदाल से जुट गये। लगभग सात हजार घन गज बर्फ खोदनी थी। इस जगह पर बर्फ की तह

30 फुट चौड़ी थी।

काम चलने लगा। एक आदमी दो आदमी के बराबर काम कर रहा था। बर्फ के टुकड़े उखड़ते जा रहे थे। और गुरुत्वाकर्षण के सिद्धान्त के अनुसार नहर में चिपक जाते थे।

दो घण्टे के सतत परिश्रम के बाद नेडलैण्ड थक कर मेरे कमरे में आया। काम करनेवालों की एक टुकड़ी जब थक गयी तब कैप्टेन ने तुरन्त ही दूसरी टुकड़ी भेज दी। उसमें मैं एवं कोन्सील भी गये।

सख्त ठण्डक थी। फिर भी कुदाल के तीन ही वार करने पर ही मेरे शरीर में गरमी आ गयी। हम लोगों पर 30 वायुमण्डल का दबाव होने पर भी शरीर आसानी से घूम-फिर सकता था।

दो घण्टे बाद जब मैं काम करके वापस लौटा तब कमरे की हवा में मुझे विचित्र परिवर्तन लगा। मुझे साँस भी खूब जोरों से लेनी पड़ती थी। जहाज की हवा में कार्बन डाइआक्साइड की मात्रा बढ़ गयी थी। 48 घण्टे हम उसी हवा में रह रहे थे। इसलिये उसमें का आक्सीजन काफी कम हो गया था। खुदाई अब तक केवल 600 धन गज हुई थी। उस हिसाब से अभी चार दिन और पाँच रात तक काम और करना था। परन्तु चौथे दिन तक हम जिन्दा रहेंगे या नहीं उसमें शक था।

फिर भी हम लोगों ने हर सम्भव प्रयत्न कर लेने का निश्चय किया था। यदि मरना ही था तो प्रकृति से लड़कर क्यों न मरें?

रात भर काम चलता रहा। रात में केवल एक गज गहरा खोदा गया। सुबह उठकर जब मैं काम पर गया तब मैंने देखा कि पानी बड़ी तेजी से बर्फ बन रहा था और बर्फ के जिन टुकड़ों को हम तोड़ते थे वे तुरन्त दीवार में जुड़ जाते थे। यदि इस प्रकार दीवारें नजदीक आती गयीं तो जहाज उन दोनों के बीच कब कुचल जाएगा यह कहा नहीं जा सकता था। पानी के जमने को तुरन्त ही रोकने की आवश्यकता थी। एक ओर जहाज में हवा कम हो रही थी तो दूसरी यह बला टपक पड़ी थी। हम लोगों की कुदालें तेजी से चलने लगी।

मैं ज्यादातर काम करनेवाले जत्थे में ही रहता था। उसमें एक विशेष फायदा था। कैप्टेन नेमो ने तय किया था कि जो हवा टंकियों में सुरक्षित है वह केवल काम करनेवालों को ही मिलेगी। जहाज के अन्दर जो हवा है उसी से जहाज के अन्दरवाले काम चलाएँगे। मैं जो कुछ भी थोड़ा समय जहाज में काटता उतने में ही परेशान हो जाता था। अलबत्ता, पानी में आक्सीजन पर्याप्त मात्रा में है और उसे अलग भी किया जा सकता है परन्तु जहाज में और उसके आसपास उतना कार्बन डायोक्साईड भरा हुआ था कि उसे दूर करने के लिये कास्टिक पोटाश की

आवश्यकता थी। वह हम लोगों के पास न था और इसीलिये हमलोग लाचार थे।

उसी दिन शाम को हवा की टंकी में से कुछ हवा कैप्टेन ने जहाज के अन्दर कमरों के लिये निकाली। यदि ऐसा न किया गया होता तो शायद सुबह कोई बिस्तर से उठ ही न सका होता।

26 मार्च को पन्द्रह फुट तक खोदा जा चुका था। बगल की बर्फ की दीवारें धीरे-धीरे पास आ रही थीं। मैं निराश होने लगा। इतना परिश्रम करने पर भी प्रकृति हम लोगों पर अत्याचार कर रही है। दुनिया के इस निर्जन प्रदेश में इस प्रकार बर्फ में फँसकर मृत्यु होगी, इस कल्पना से मैं हताश हो गया। काम छोड़कर मैं अपने कमरे में आया। कैप्टेन नेमो भी तुरन्त मेरे पीछे-पीछे आया। मेरे कन्धे पर हाथ रखकर उसने कहा, "यदि पानी के इस प्रकार बर्फ होने को हम लोग न रोकेंगे तो हम लोग कुछ ही देर में समाप्त हो जाएँगे।

"मेरी समझ में कुछ भी नहीं आता है।" मैंने कहा।

कैप्टेन ने कुछ देर मेरी ओर देखा। फिर नीचे देखा एकाएक वह चिल्ला उठा, "पानी उबालो।"

मैं चौंका, "उबलता हुआ पानी!"

"हाँ!" उसे बिजली से उबालकर अपने पम्प से बाहर छिड़का जाएगा।

तुरन्त ही इन्जन के कमरे में जाकर उसने आदेश दे दिया। पानी कुछ देर में गरम हो गया और पम्प द्वारा उसने अपनी ताकत आजमाना शुरू कर दिया। जो बर्फ तेज कुदालों की धार को झूठी करार दे रही थी वह इस गरम पानी के आगे लाचार हो गयी। इस पानी की तादाद यद्यपि काफी कम थी फिर भी उससे इतना हुआ कि आगे बर्फ का जमना बन्द हो गया। दो घण्टे में तापक्रम 2^0 ऊपर आकर शून्य के नीचे 4^0 तक रह गया।

"हम लोगों को सफलता मिलेगी।" कैप्टेन ने उत्साह से कहा।

मुझे भी आशा की झलक दिखाई पड़ी।

28 तारीख को 18 फुट गहरा खुदा जा चुका था। अभी दो दिन का काम बाकी था। दो दिन अर्थात् 48 घण्टे। हवा कम हो रही थी। मैं अपने कमरे में बिस्तर पर हवा की कमी से परेशान होकर लेटा हुआ था। कोन्सील मेरे समीप ही था और मुझे आश्वासन दे रहा था। उसकी भी साँस रुँध रही थी। फिर भी वह अपना दुःख मेरे दुःख में मिटा देना चाहता था। मैंने उसे धीरे से यह कहते हुए सुना, "यदि आप को ज्यादा हवा मिल सकती हो तो मैं हवा लेना ही बन्द कर दूँ।"

कोन्सील की कीमत अब मैं समझने लगा। उसका यह वाक्य सुनकर मेरी आँखों में आँसू आ गये। मुझे हर क्षण यही लग रहा था, कब मेरी बारी आये और

मैं बाहर जाऊँ।

कुछ देर ताजी हवा तथा कुछ देर तक जहाज की जहरीली हवा इस प्रकार का क्रम था। इसी नियम के अनुसार सभी को बराबर बारी मिले इसका कैप्टेन ख्याल रखता था। जैसे ही उसकी अपनी बारी पूरी होती थी वैसे ही वह खुद भी अपनी हवा की थैली दूसरे को देकर जहरीली हवा वाले जहाज में आकर बैठ जाता था।

काम राक्षसी गति से बढ़ रहा था। दूसरे दिन केवल नौ फुट खोदना बाकी रह गया था। परन्तु हवा की अब सभी टंकियाँ खाली हो चुकी थीं। जो कुछ भी थोड़ी हवा बची थी वह केवल काम करने वालों के लिये ही थी।

मेरी साँस रुँधने लगी। मुझे लगा आज का दिन मैं शायद ही बिता सकूँ। कैप्टेन नेमो ने भी देख लिया था कि काम करने वाले भी आज शाम तक ही हवा चला सकेंगे। उसके मन में एक नयी योजना का उद्भव हुआ। सभी आदमियों को उसने अन्दर बुला लिया। बर्फ अब केवल तीन फुट रह गयी थी। उसने तय किया जहाज को जरा ऊपर ले जाकर उसी खुदी हुई जगह में जोर से ढकेला जाये। जहाज की ताकत से ही उस तीन फुट का बर्फ का परत टूट जाएगा और जहाज तुरन्त पानी में आ जाएगा। उसमें खतरा तो था ही परन्तु मरते समय यह खतरा क्यों न मोल लिया जाये?

जहाज को ऊँचा कर लिया गया। खुदी हुई जगह के सामने वह आ गया।

मैं अपने कमरे में बेहोश पड़ा था। जहाज नीचे उतरा यह मुझे ज्ञात भी न हुआ। परन्तु बाद में मुझे यह बस स्वप्नवत् लगा। फिर मुझे कुछ ताजी हवा मिली। मुझे लगा कि हम लोग समुद्र की सतह पर पहुँच गये होंगे। परन्तु नहीं, ऐसा न था। कोन्सील और नेड की हवा की थैली में जो कुछ हवा बच गयी थी उसका उपयोग न करके वे लोग मुझे दे रहे थे। मैंने लेटे-लेटे अश्रु भीगी आँखों से उनकी ओर देखा और बेहोश हो गया।

जब मैंने आँखें खोलकर घड़ी की ओर देखा तो 28 तारीख की सुबह के ग्यारह बजे थे। नाटिलस की गति 40 मील प्रति घण्टा थी। यह क्या? कैप्टेन नेमो कहाँ? यह जहाज कहाँ जा रहा होगा? मेनोमीटर की सुई को देखा तो जहाज समुद्र की सतह से केवल 20 फुट नीचे था। बर्फ की एक पतली तह हम लोगों के एवं समुद्र की सतह के बीच थी। क्या यह तह नहीं टूटेगी? क्या मालूम? परन्तु नाटिलस हर सम्भव प्रयत्न कर लेने वाला था। उसके पीछे के भाग की टंकियों में पानी खूब भर लिया गया। उससे उसका वह भाग झुका तथा दूसरा भाग ऊँचा हुआ। इससे वह तिरछा हुआ और तब उसका पंखा जोरों से घूमने लगा। बर्फ धीरे-धीरे टूटने लगा और अन्त में बर्फ की तह को चीरकर पूरा जहाज हवा में उछलकर समुद्र की

सतह पर आ गिरा।

सभी कमरों के दरवाजे खुल गये और ताजी हवा का प्रवाह तुरन्त ही पूरे जहाज में फैल गया।

28

मुझमें शक्ति का संचार हुआ। मुझे यह तो पता न चला कि मैं जहाज के डेक पर कैसे पहुँचा, परन्तु जब मैं होश में आया तब मेरे इर्द गिर्द समुद्र की तरंगें नाच रही थीं। ठंडी प्राणदायिनी हवा मेरे फेफड़ों में जोरों से भर रही थी।

"हवा की कीमत अब समझ में आ रही है।" नेड ने कहा।

"नेड!" मैंने गद्‌गद् होकर कहा, "यदि तुम और कोन्सील न होते तो शायद मैं यह हवा ले ही न सकता। तुम दोनों को अनेकानेक धन्यवाद।"

"इसमें हम लोगों ने कोई विशेष बात नहीं की थी। वह केवल साधारण गणित का सवाल था। हम दोनों से आपकी कीमत ज्यादा थी और इसलिये आपको जीवित रखना ज्यादा आवश्यक था।" नेड ने कहा।

"नहीं! नहीं! अब तो आपने यह सिद्ध किया कि मुझसे आप लोग जैसे उदार जीवों की ज्यादा कीमत है और कोन्सील तुमने तो बहुत ही सहन किया! क्यों?" मैंने कोन्सील की ओर देखकर कहा।

"नहीं! नहीं! यदि मैं इस समय कुछ न करता तो क्या अमेरिका में आपके साथ रहकर होटलों में मौज उड़ाना ही मेरा काम है?" कोन्सील ने कहा।

"प्रोफेसर साहब! यदि आप यह समझते हों कि हम लोगों ने आप का उपकार किया है तो उसके बदले में आपके लिये भी काम तैयार है।" नेड ने कहा।

"वह क्या?"

"जब मैं इस जहाज से भागने का प्रयत्न करूँ तब आपको साथ रहना है।"

"अरे! वह तो तय ही है। हाँ! परन्तु हम लोग किस दिशा की ओर जा रहे हैं! सूर्य सामने दिखाई पड़ रहा है इसलिये हम उत्तर की ओर जा रहे हैं, यह तो तय ही है।"

हम लोगों का जहाज शिकारी के पंजों से छूटे हुए हिरन की तरह तेजी से ऊपर की ओर जा रहा था।

"कहीं कैप्टेन नेमो का इरादा फिर उत्तरी ध्रुव की हवा खाने का तो नहीं है?"

नेड ने कहा।

"यदि हो! तब भी हम उसे क्या रोक सकते हैं?" मैंने कहा।

"परन्तु हम लोगों को इस जहाज को रास्ते में ही छोड़ देना होगा। अब कैप्टेन से अनुमति की प्रतीक्षा नहीं करनी होगी।" नेड ने कहा।

"हमें न अलग होने में कोई एतराज है, न साथ रहने में।" दार्शनिक की भाँति तटस्थ मत कोन्सील ने दर्शाया।

पहली अप्रैल को जब हम लोगों का जहाज ताजी हवा लेने के लिये समुद्र की सतह पर आया तब हम लोगों ने जमीन देखी।

वह टेरा-डेल-फ्यूगो प्रदेश था। दक्षिण अमेरिका एवं इस जगह के बीच एक जलडमरुमध्य है, जिसे मेगेलिन का जलडमरुमध्य कहते हैं। मेगेलिन नामक एक साहसिक नाविक ने उसे सोलहवीं सदी में खोजा था।

किनारे की ओर न जाकर नाटिलस फोकलैण्ड द्वीपों की ओर गया। वहाँ से वह दक्षिण अमेरिका के पूर्वी किनारे के साथ-साथ उत्तर की ओर आगे बढ़ने लगा। जहाज कहीं पर भी किनारे न उतरता था। उसके दो कारण थे। प्रथम यह, कि किनारा खराब था तथा दूसरा यह, कि जहाँ किनारा अच्छा था वहाँ मनुष्यों की आबादी थी और मनुष्यों की आबादी में कहीं नेमो थोड़े ही जा सकता था!

'प्लेट' नदी के मुहाने को पार करके 'उरुगुए' के प्रदेश के किनारे को भी हम छोड़ गये। ब्राजील का गरम प्रदेश भी हम लोगों की बगल में होकर चला गया। 11 अप्रैल को हम ऐमेजन के मुहाने के पास पहुँचे। ऐमेजन नदी दक्षिण अमेरिका के पश्चिम किनारे से पूर्व किनारे की ओर बहती है और उसका मुहाना भी समुद्र जैसा ही है। ऐमेजन के प्रभाव से वहाँ पर ऐटलांटिक महासागर का पानी मीलों तक मीठा रहता है। विषुवत् रेखा इस ऐमेजन के मुहाने से होकर गुजरती है।

हम विषुवत् रेखा को पार करके उत्तरी गोलार्ध में आगे चल दिये। फ्रेंच गियाना का किनारा भी हमने दूर से देखा। उसके पड़ोस में ही डच एवं ब्रिटिश गियाना के प्रदेश हैं। इस भाग के आगे फिर पश्चिमी द्वीप समूह शुरू हुआ।

इन द्वीपों के समूह को एक ओर छोड़कर हम लोगों का जहाज ऐंटलीस द्वीपों के समुद्र में घुसा। वहीं पर उसने डुबकी लगाई और बाहामा के द्वीपों के समुद्र में घुसा। किनारे से काफी दूर रह कर नाटिलस हवा खा रहा था। एक के बाद एक द्वीप के आने पर नेडलैण्ड के हृदय में आशा का संचार होता परन्तु उनके गुजर जाते ही वह आशा मृत हो जाती। वह हर क्षण पर यह सोचता कि कब वह इस कैद से मुक्त होगा। मेरा और कोन्सील का समय समुद्र की अगाध सम्पत्ति के निरीक्षण

करने में ही चला जाता परन्तु नेड की कैसी कटती? उसे भोजन करने और शिकार करने इन दो कामों के अतिरिक्त तीसरे किसी भी काम में दिलचस्पी न थी।

नाटिलस एक दिन सुबह समुद्र के किनारे हवा खा रहा था। मैं अभी भली प्रकार नींद से उठा भी न था कि बहुत बड़ा कोलाहल सुना। तुरन्त दौड़ता-दौड़ता डेक पर पहुँच गया। साथ ही कैप्टेन नेमो, नेड आदि जहाज के सभी लोग पहुँच गये। डेक पर काफी हल्ला हो रहा था। मैं जरा ही देर में परिस्थिति समझ गया। ओक्टोपस नामक अष्टपदीय जानवरों ने नाटिलस पर धावा बोल दिया था।

आक्टोपस 30-32 फुट लम्बा एक समुद्री दैत्य होता है, जिसके आठ पैर होते हैं। उसके आठों पैर सिर के पास से शुरू होकर पीछे तक होते हैं तथा उनकी लम्बाई सिर से लगभग दुगुनी होती है।

''हम लोग उससे आमने-सामने मुकाबला करेंगे।'' कैप्टेन नेमो ने दृढ़ता से कहा।

''मैं भी आपका साथ दूँगा।'' नेडलैण्ड ने कहा।

''अवश्य!''

उतने में एक पैर आया और एक आदमी को पकड़कर ले गया। वह वेदना भरी चीखों से चिल्लाने लगा। युद्ध शुरू हो गया।

कैप्टेन नेमो का जो रौद्र स्वरूप आज मैंने देखा वह कभी नहीं देखा था। वह, नेडलैण्ड और अन्य खलासी अपने-अपने शस्त्र लेकर उसके ऊपर हमला कर रहे

थे। परन्तु उससे आक्टोपस और क्रोध में आकर जहाज के डेक पर आने का प्रयत्न कर रहे थे। आक्टोपस द्वारा पकड़े गये उस व्यक्ति को छुड़ाना असम्भव हो गया। चारों ओर पानी रक्तिम हो गया।

नेड आज खूब ताव में था। उसने अपने हारपून से कई आक्टोपसो की आँखें फोड़ डाली। परन्तु उस बीच जरा-सी गफलत से उसका एक पैर फिसल गया और वह पानी में गिर गया। तुरन्त एक दैत्याकार आक्टोपस उसकी ओर लपका। वह डेक पर चढ़े उसके पहले ही नेड उसके पास पहुँच गया। वह उसे पकड़ने ही जा रहा था। मैं नेड को बचाने के लिये कूदने को तैयार हो रहा था। उतने में कैप्टन नेमो का भाला उस प्राणी के मुँह में पहुँच गया और इसी बीच नेड भी सावधान हो गया। उसने भी अपनी हारपून उसकी छाती में भोंक दी और उसका काम तमाम हो गया।

लगभग दस-पन्द्रह मिनट तक इन भयानक दैत्यों से युद्ध होता रहा। अन्त में उनमें से कई भाग गये और कई मर गये।

कैप्टेन खून में सराबोर खड़ा होकर काफी देर तक समुद्र के पानी की ओर देखता रहा। समुद्र ने उसके एक साथी का बलिदान लिया था।

कैप्टेन नेमो को पहली बार रोता हुआ आज मैंने देखा।

29

उस दिन का करुण दृश्य मैं कभी नहीं भूल सकता। आक्टोपस द्वारा खींचे गये उस व्यक्ति की चीखें मेरे कानों में गूँज रही थीं। नेड पर उस जानवर का हमला एवं कैप्टेन नेमो द्वारा उसकी रक्षा आदि दृश्य मेरी आँखों के समक्ष बार-बार आ रहे थे। कैप्टेन नेमो का रुदन एवं आँसू तो कभी नहीं भूलेंगे। ऐसे आदमी कभी नहीं रोते और जब रोते हैं तब देखनेवाले को भी रुला देने वाला रोते हैं।

परन्तु यह मृत्यु भी कितनी भयानक थी? आक्टोपस के भयंकर पैरों में फँसा हुआ, कुचला हुआ और फटी आँखों वाला उसका मुँह मैं केवल एक क्षण के लिये ही देख पाया था। परन्तु वह दृश्य मेरे दिल में हमेशा के लिये अंकित हो गया था।

इस घटना के बाद कैप्टेन नेमो शायद ही कभी बाहर दिखाई पड़ता था। कुछ दिन तक उसका जहाज भी पागल की तरह इधर-उधर घूमा करता था या पड़ा रहता था।

लगभग दस दिन इस प्रकार शोक में कट गये। नाटिलस उत्तर की ओर आगे बढ़ने लगा। उसने मेक्सिको की खाड़ी से होकर एक बहुत बड़ी समुद्री धारा में प्रवेश किया। यह धारा (गल्फ़स्ट्रीम) अपनी लम्बाई, चौड़ाई एवं वेग के लिये काफी प्रसिद्ध है। इस धारा में आते ही नाटिलस भी बहने लगा। यह धारा न्यूफाउन्डलैण्ड तक जा रही थी। अमेरिका का किनारा हम लोग दूर ही से देख रहे थे।

नेड दूर से अमेरिका का किनारा देखकर मन में बहुत जला करता था। दिन रात भागने के बारे में सोचा करता था। कई योजनाएँ उसने बनायीं और कई तोड़ीं और फिर नयी बनायीं। इस बीच समुद्र में तूफान भी बढ़ने लगा। 'गरम प्रवाह' के असर के कारण इस जगह अक्सर तूफान आया करते हैं। इस तूफान में छोटी-सी नाव लेकर भाग जाना मृत्यु के मुँह में जाने के बराबर था।

एक दिन वह परेशान होकर मेरे पास आया। "प्रोफेसर! अब इसका कभी अन्त भी होगा कि नहीं? आपका नेमो तो सीधे उत्तर की ओर चला जा रहा है। जब उत्तर ध्रुव में भी कहीं बर्फ में फँस जाएगा तभी वह ठीक भी होगा। मैं तो दक्षिण ध्रुव देखकर ही छक गया हूँ। अब मेरी इच्छा उत्तर ध्रुव देखने की बिल्कुल नहीं है।"

"हाँ! परन्तु हम लोग क्या करें?" मैंने कहा।

"मेरी तो राय है कि आप सीधे कैप्टेन के पास जाकर उससे बात करें और उससे अनुमति माँगें। और आपको डर लगता हो तो इस समय मैं स्वयं जाऊँगा। अब चाहे समुद्र तूफानी हो, परन्तु यही मेरी खाड़ी है। यहाँ पर यदि कैप्टेन अनुमति नहीं भी देगा तो मैं समुद्र में कूदकर तैर कर भाग जाऊँगा। अब मैं यहाँ नहीं रह सकता हूँ।"

नेड का धैर्य समाप्त हो रहा है, यह मैं देख रहा था। यही आश्चर्य है कि उसके जैसा व्यक्ति किस प्रकार इस जहाज में इतने दिन रह सका। इसका असर उसके मन एवं शरीर दोनों पर हुआ था। वह और अधिक चिड़चिड़ा होता जा रहा था। सात महीने से पृथ्वी पर क्या हो रहा है यह हम नहीं जानते थे।

"कहिए! आप क्या कह रहे हैं?" नेड ने फिर पूछा।

"हाँ! परन्तु उसने हम लोगों को एक बार स्पष्ट कह दिया था।"

"तब भी एक बार और सही! अबकी क्या कहता है, यह मैं सुनना चाहता हूँ।"

"परन्तु वह मुझे मिलता ही नहीं है।"

"यदि वह हमें न मिलें तो हम लोग उससे मिलें।"

"तब मैं उससे पूछ लूँगा।"

"कब?"

"जब वह मुझसे मिलेगा।"

"तब आप बेकार की बातें न करें। मैं अभी उसके पास जा रहा हूँ।" नेड खड़ा हो गया।

"नहीं! नहीं! मैं उसके पास जाऊँगा!"

नेडलैण्ड चला गया! कुछ देर तक मैं सोचता रहा। कैप्टेन नेमो के पास किस प्रकार जाये, कैसे उससे बात शुरू करें, यह क्रम मन में ठीक करने लगा। कुछ निश्चय करके मैं चल दिया।

कैप्टेन नेमो के कमरे में जाकर मैंने दरवाजा थपथपाया। अन्दर से कोई उत्तर न मिला। मैंने धक्का दिया। दरवाजा खुल गया। कैप्टेन नेमो नीचा सिर किये मेज पर कुछ लिख रहा था। मेरे आने के बारे में उसे ज्ञात ही न हुआ। मैं उसके पास गया, और खड़ा हो गया। उसने सिर उठाकर देखा। आश्चर्य और कुछ गुस्से से पूछा, "आप! यहाँ क्यों आये हैं?"

"आपके साथ कुछ बात करना है।"

"परन्तु इस समय मैं व्यस्त हूँ। आजादी का कुछ अधिक लाभ उठा रहे हैं।"

आरम्भ ही में ऐसी बात सुनने को मिली, इससे मैं कुछ निरुत्साह हो गया। परन्तु जो बात मैंने तय की थी उसे बगैर कहे वापस भी तो नहीं जाना था। इसलिये मैंने कहा, "एक ऐसी बात है जो इसी समय करनी चाहिए।"

"ऐसी कौन-सी बात है? समुद्र में कोई नयी खोज तो नहीं की है?" उसने कुछ मजाक में कहा। परन्तु मैं उसे उत्तर दूँ, उसके पहले ही उसने आगे कहना शुरू किया, "देखिए यह जो मैं लिख रहा हूँ, वह एक पुस्तक है। समुद्र के मेरे सभी अनुभव इसमें लिखे गये हैं। मैं अपनी मृत्यु की अन्तिम घड़ी तक अपना इतिहास एवं अनुभव लिखना चाहता हूँ। मरते समय मैं अपना सच्चा नाम नीचे लिख इस हस्तलिखित पुस्तक को एक मजबूत बक्से में बन्द करके इस समुद्र में छोड़ दूँगा। उसे जो भी पढ़े। यदि कोई नहीं पढ़ेगा तो समुद्र उसे स्थान देगा।

मैं सोचने लगा, "इस रहस्यमय मनुष्य का इतिहास मेरे सामने है और वह भी उसी के हाथ का लिखा हुआ। तब किसी न किसी दिन यह रहस्य खुलकर रहेगा।"

मैंने तुरन्त ही कहा, "कैप्टेन महोदय, अब मेरी और आपकी रायें एक हुईं। आपके यदि इस चमत्कारपूर्ण जीवन को दुनिया न जाने, तो एक बड़ी भारी कमी रह जाएगी। परन्तु आपने अपने जीवन को प्रसिद्ध करने की बहुत विचित्र रीति

रखी है। इस प्रकार बक्से को छोड़ देने में खतरा है उससे तो आप में कोई...''

''नहीं! नहीं!'' कैप्टेन ने मुझे बीच में ही टोक दिया।

''तो हम तीनों में से किसी को नकल आप दें और हम लोगों को छोड़ दें।''

''छोड़ दूँ?''

''हाँ! वही बात कहने मैं आपके पास आया भी था। सात-सात महीने से हम लोग बन्द हैं। अब हम लोग छुटकारा पाना चाहते हैं। आप हमें मुक्त करेंगे या नहीं?''

''प्रोफेसर! सात महीने पहले जो बात मैंने आपसे कही थी वह अब भी कह रहा हूँ कि मेरे जहाज में जो एक बार आ जाता है वह वापस नहीं जा सकता।''

''इसका अर्थ गुलामी है।''

''आप जो भी कहना चाहें कह सकते है।''

''परन्तु गुलाम भी कुछ समय के बाद मुक्त किये जाते हैं।''

''तो मान लो कि यहाँ उससे भी खराब हाल है।''

''देखिए! कैप्टेन महोदय! मैं आपको सच बात बता देना चाहता हूँ। स्वयं मुझे इस यात्रा में अब तक जो आनन्द आया वह मुझे मेरे अब तक के जीवन में कभी नहीं मिला। मुझे तो लगता है कि मैं भी आपकी तरह इस समुद्र में जीवन पर्यन्त इन अद्‌भुत दृश्यों को देखता रहूँ। परन्तु आपका जीवन और हम लोगों का जीवन अलग-अलग है। आप लोगों के तरीके कभी हम लोगों के नहीं हो सकते हैं। आपके दुःख से दुःखी तथा सुख से सुखी होने तक की भावना हम लोगों में है, परन्तु मेरी बात जाने दीजिए, फिर नेड भी आखिर आदमी ही है। बगैर आदमियों के साथ वह कभी न रह सके, इस प्रकृति का वह मनुष्य है। उनके मन में क्या हो रहा होगा इसका ख्याल...''

कैप्टेन नेमो खड़ा हो गया। मैं बोलते-बोलते रुक गया। उसने कहना शुरू किया, ''नेड क्या सोचता है यह जानकर कि मुझे कोई आवश्यकता नहीं है। मैंने उसे जहाज पर आने का न्योता नहीं दिया था। मुझे भी उसका सहवास अच्छा लगता है इस उद्देश्य से मैंने उसे जहाज पर नहीं रखा है। इससे अधिक मैं कोई उत्तर नहीं दे सकता। इस सम्बन्ध में हम लोगों की यह बातचीत पहली और अन्तिम होगी, यह भली प्रकार समझ लीजिए। अब मैं एक शब्द भी नहीं सुनना चाहता।''

कैप्टेन चल दिया। अब हम लोगों के लिये केवल एक ही रास्ता शेष था। भाग जाने का। जीवित या मृत इस जहाज से बाहर निकलना ही था। मैंने अपने साथियों को ये बातें बतायीं।

"चाहे तैसा तूफान हो यहाँ से भागो। यही तय रहा।" नेड ने अपनी राय प्रदर्शित की।

परन्तु आकाश और अधिक भयानक होता जा रहा था। साथ ही समुद्र भी भयंकर हो रहा था। मानो समुद्र और आकाश एक हो गये हों।

30

अठारहवीं तारीख को तूफान ने अपना असली रूप धारण किया। वर्षा एवं पवन दोनों साथ-साथ शुरू हुए। पहाड़ जैसी ऊँची समुद्र की तरंगें उछल-उछलकर आकाश को छूने का प्रयत्न कर रही थीं। आकाश में घनघोर घटाएँ छाई हुई थीं।

ऐसे तूफान में भी कैप्टेन नेमो जहाज के डेक पर खड़ा था। उसने अपनी कमर में एक रस्सी बाँधकर उसे डेक के कठघरे के साथ बाँध रखा था। मैं भी कभी-कभी डेक पर इसी प्रकार खड़ा होकर तूफान देखता था। मानो समुद्र तरंगों का बना हुआ है। ये तरंगें 45 फुट की गति से उछल रही थीं।

रात को फिर तूफान का जोर बढ़ा। मैंने एक स्टीमर की रोशनी देखी। ऐसे समय में स्टीमर प्रकृति के साथ कितना लड़ सकता है? कुछ देर में वह अदृश्य हो गया। या तो वह डूब गया या वहाँ से कहीं और जगह चला गया।

बिजली चमक रही थी। मानो आकाश से आग झर रही हो। परन्तु कैप्टेन नेमो बिजली की चमक को झेलता हुआ डेक पर ही खड़ा रहा। समूचा जहाज झूलने लगा। जहाज के अन्दर भी कोई अपने पैरों पर स्थिर खड़ा नहीं रह सकता था।

रात को लगभग बारह बजे कैप्टेन नेमो जहाज के अन्दर आया। पानी की टंकियाँ भरी जाने लगी। जहाज नीचे उतरने लगा। वह लगभग 25 फैदम नीचे गया। वहाँ तक पानी शान्त नहीं था। ऊपर के तूफान का इतनी गहराई तक असर था।

परन्तु वहाँ पर कितनी शान्ति थी! कोई नहीं कह सकता था कि ऊपर समुद्र की सतह पर भयानक तूफान हो रहा होगा?

इस तूफान के कारण हमारा जहाज लगभग पूरब की ओर घूम गया था। अमेरिका के किनारे की ओर भागना अब असम्भव था। नेड सोचने लगा प्रकृति उसके विरुद्ध है। तूफान के साथ दिन भर कोहरा भी था। साधारण जहाज शायद ऐसे तूफान का मुकाबला कर भी सकें परन्तु ऐसे कोहरे का मुकाबला करना असम्भव था। कितने ही जहाज इस कोहरे के कारण एक दूसरे से टकराकर समुद्र के नीचे जा चुके होंगे।

धीरे-धीरे हम लोगों का जहाज न्यूफाउण्डलैण्ड के दक्षिण किनारे को छूकर सीधे पूर्वी आयरलैण्ड के दक्षिण किनारे से लगभग 120 मील दूर तक आ गया।

यह जहाज कहाँ जा रहा होगा? कहीं वह हमें इंग्लैण्ड एवं फ्रांस तो दिखाना नहीं चाहता? क्या कैप्टेन नेमो का यह इरादा है कि वह हमें हमारे प्रिय देशों के किनारे दिखाकर और परेशान करें? परन्तु वहाँ से जहाज फिर दक्षिण की ओर मुड़ गया।

31 मई को पूरा दिन नाटिलस घूमता रहा। मानो समुद्र में कोई खोई हुई वस्तु ढूँढी जा रही हो। नाटिलस इधर-उधर चक्कर लगा रहा था।

दूसरे दिन सुबह उसने एकाएक डुबकी लगा दी। जहाज लगभग 418 फैदम नीचे जाकर रुक गया। दीवानखाने की खिड़कियाँ खोल दी गयीं। बिजली का प्रकाश पानी में डाल दिया गया। वहाँ देखा तो एक बहुत बड़े जहाज का अस्थि पिंजर था। उसके ऊपर जगह-जगह पर छोटी बड़ी सीपें चिपकी हुई थीं। कैप्टेन नेमो ने मेरे पास आकर मुझे बताया कि सन् 1762 में 74 तोपें लेकर चला हुआ यह मार्सेलीज जहाज है।

13 अगस्त सन् 1778 में उसके कप्तान पालिय वरटीअक्स ने बड़ी वीरता से प्रैस्टन से युद्ध किया था। उसने अपने को अंग्रेजों के सुपुर्द करने के बजाय समुद्र समाधि ज्यादा पसन्द की थी।

कुछ देर तक वह उसे देखता ही रहा। मैं भी उस रहस्यमय व्यक्ति की ओर देखता रहा। मैं सोचने लगा यह व्यक्ति क्या केवल मौज के लिये ऐसा जहाज लेकर निकल पड़ा होगा? नहीं—इसके अन्दर में कोई रहस्यमय इतिहास छिपा हुआ अवश्य होगा। उसके दिल का यह भाव कि दुनिया में जीतती हुई प्रजा के प्रति तिरस्कार और हारती हुई प्रजा के प्रति पक्षपात स्पष्ट दिखाई पड़ रहा था।

जहाज फिर समुद्र की सतह पर आ गया। परन्तु थोड़ी ही देर में मेरे कानों में बड़े जोर का धमाका सुनाई पड़ा। मैं चौंका! मैंने कैप्टेन की ओर देखा। परन्तु वह कुछ भी न बोला।

मैंने पूछा, "कैप्टेन महोदय! क्या बात है?"

कोई उत्तर न मिला।

मैं तुरन्त जहाज के डेक पर गया। वहाँ नेडलैण्ड भी खड़ा था। मैंने पूछा, "नेड। यह धमाका कैसा हुआ था?"

"तोप का।"

"कहाँ से?"

"देखिए सामने दूर जहाज दिखाई पड़ रहा है, वहाँ से। वह कोई लड़ाकू जहाज है। कुछ देर में वह इस जहाज पर हमला करके इसे तोड़ डालेगा।"

"अरे! यह जहाज कैसे टूटेगा?" मैंने कहा, "यह तो जरा देर में समुद्र के नीचे चला जाएगा। उसके पीछे-पीछे वह जहाज कैसे आ सकेगा?"

वह जहाज किस देश का था वह नहीं देखा जा सका। परन्तु वह धीरे-धीरे नजदीक आ रहा था। उसने हमारे जहाज को देख लिया था यह स्पष्ट था। परन्तु यह नहीं कहा जा सकता था कि उसे मालूम ही था, कि यह जहाज है। यदि वह यहाँ तक आये और कैप्टेन नेमो जान न सकें तो हम लोगों को भाग जाने का मौका मिल सकता था।

"यदि उस जहाज के और हमारे बीच एक मील का फासला रह जाये तो मैं तैर कर भी वहाँ पहुँच जाऊँगा। आप भी वैसा ही करेंगे।" नेड ने कहा।

मैं जहाज की ओर देख रहा था कि कुछ देर में धुएँ के गुब्बारे नजर आये। साथ ही एक बहुत बड़ा धमाका भी हुआ।

"अरे! ये लोग हम लोगों की ओर तोपें छोड़ रहे हैं।"

"हाँ! परन्तु वे लोग यही सोच रहे होंगे कि हम लोगों का जहाज कोई बहुत बड़ी ह्वेल या ऐसा समुद्री जानवर होगा।"

"नहीं! नहीं! मुझे शक है। मेरी राय में तो अब्राहम लिंकन ने अमेरिका वापस जाकर बताया होगा कि वह कोई समुद्री प्राणी नहीं, एक बहुत बड़ा जहाज है। और अब इसके विनाश के लिये कई जहाज घूम रहे होंगे।" मैंने कहा।

"कैप्टेन नेमो अब क्या करेगा?"

मेरे मन में एक भयानक शंका का उदय हुआ। "कहीं ऐसा न हो कि कैप्टेन नेमो इस जहाज को डुबो दे।"

इस बीच हमारे जहाज के चारों ओर तोप के गोले बरस रहे थे। एक भी गोला अब तक नाटियाल तक नहीं पहुँच पाया था। वह उस जहाज से लगभग 3 मील दूर था। कैप्टेन नेमो जहाज को इतने खतरे में होने पर भी नीचे क्यों नहीं लिये जा रहा था, यह आश्चर्य था। यदि तोप का एक भी गोला पीछे जहाज पर आया होता तो जहाज चकनाचूर हो जाता उसमें कोई शक न था।

नेड ने मुझसे कहा, "प्रोफेसर! मेरी राय में हम लोग इशारे से उस जहाज को बताएँ कि हम लोग शत्रु नहीं हैं वरन् मित्र हैं। कहिए क्या राय है?"

मैं उत्तर दूँ उसके पहले ही उसने अपनी जेब से रूमाल निकाला परन्तु जैसे ही वह उसे ऊँचा करके लहराने जा रहा था वैसे ही पीछे से एक बज्र जैसा हाथ उसके ऊपर पड़ा। उस हाथ के झटके एवं डर से नेड गिर पड़ा।

"दुष्ट!" कैप्टेन चिल्लाया! "क्या तुम बेमौत मरना चाहते हो?"

कैप्टेन नेमो की आवाज इस समय काफी भयंकर थी। परन्तु उससे भी भयानक उसका सीना लग रहा था। इस समय वह गर्जना कर रहा था। काँपते हुए नेड को उसने जोरों से झकझोरा।

परन्तु तुरन्त ही उसको एक ओर हटाकर उस दूर-दूर दिखाई पड़ते हुए जहाज की ओर घूमकर बोला, "ओ कम्बख्त देश का जहाज, तुम जानते हो! मैं कौन हूँ? मुझे तुम्हें पहचानने की आवश्यकता नहीं है! यदि तुम मुझे पहचानना चाहते हो तो देखो मेरी यह निशानी।" यह कहकर उसने अपना काला झण्डा हवा में लहराया। वही काला झण्डा जिसके बीच में सुनहरा 'N' (एन) बना हुआ था तथा जिसे उसने उत्तर ध्रुव पर लहराया था।

उसी समय एक दूसरा गोला ठीक जहाज के पास आकर पानी में गिरा।

"नीचे जाओ!" कैप्टेन ने अपने कन्धों को कुछ हिलाया फिर जोर से कहा "तुम तीनों के तीनों नीचे चले जाओ।"

"क्या आप उस जहाज पर हमला करना चाहते हैं।" मैंने पूछा।

"हाँ! मैं उसे डुबो दूँगा।"

"आप ऐसा मत कीजिए।"

"मैं ऐसा ही करूँगा! मुझे सलाह देने का उत्तरदायित्व आप अपने ऊपर न लें। युद्ध शुरू हो गया। दूसरे पक्ष ने उसकी शुरुआत की है। उसका उत्तर भी उसे

बहुत कड़ा मिलेगा। तुम लोग फौरन नीचे जाओ।"

"यह जहाज किस देश का है?"

"क्या तुम लोग यह नहीं जानते? चलो यह भी अच्छा ही हुआ कि यह बात आप लोगों से छिपी रह गयी। अब आप लोग नीचे जाइए।"

हम लोगों को नीचे जाने के अलावा कोई चारा न था।

31

हम लोग नीचे गये। डेक पर लगभग पन्द्रह आदमी कैप्टेन के चारों ओर खड़े थे। सभी के मुँह पर बदले की भावना स्पष्ट दिखाई पड़ रही थी। नीचे जाते-जाते मेरे कान में यह शब्द पड़े "छोड़े जा! और गोले छोड़े जा! ओ मूर्ख जहाज! केवल एक हमले की आवश्कता है। परन्तु तुझे मैं यहाँ नहीं डुबाऊँगा। तेरी कब्र इस मार्सेलीज़ के पास नहीं हो सकती।"

मैं अपने कमरे में गया। जहाज के पंखे चालू हो गये और कुछ देर में नाटिलस उस जहाज से काफी दूर निकल गया।

शाम के चार बज गये। मेरा धैर्य टूट रहा था। मैं फिर डेक पर पहुँच गया। वहाँ कैप्टेन हाथ पीछे बाँध कर आवेश में चक्कर काट रहा था। वह मुझे देखते ही बोल उठा, "मैं न्याय और हक के लिये लड़ रहा हूँ। मैं गुलाम प्रजा का प्रतिनिधि हूँ। वह जहाज गुलाम बनाने वाले देशों का प्रतिनिधि है। उस सितमगर के कारण मैंने सबकुछ खोया। अपना देश, अपना कुटुम्ब, अपने माता-पिता, स्त्री सन्तान सब कुछ खोया। सभी कुछ नष्ट हुआ। केवल उसकी बदौलत दुनिया में केवल उसी से मैं घृणा करता हूँ।"

वह जहाज तेजी से नाटिलस की ओर आ रहा था। मैं नीचे उतर गया। वह ज्यों-ज्यों पास आ रहा था त्यों-त्यों उसकी मौत भी पास रही थी। यह मैं स्पष्ट रूप से देख रहा था। परन्तु उसे किस प्रकार बताया जा सकता है कि पास आने में खतरा है?

रात हो गयी। कप्तान अब तक डेक पर ही था। वह जहाज भी दो मील दूर था। आकाश और समुद्र में काफी शान्ति थी। परन्तु इस भयानक मनुष्य के मुँह पर तूफान के चिह्न थे। समुद्र के तूफान से अधिक भयानक यह तूफान मुझे प्रतीत हो रहा था।

मैंने सोचा, "किसी भी प्रकार से यहाँ से भाग चलना चाहिए। इस जहाज का क्रूर विनाश मुझसे नहीं देखा जा सकेगा।" नेड और कोन्सील से भी सलाह की, "समुद्र से कूदकर भी भाग सकें तो भाग जाना चाहिए। चाहे हम लोग पकड़े ही क्यों न जाएँ। मृत्यु ही अगर होनी होगी तो किनारे तक पहुँचने पर भी क्या नहीं हो सकती?"

हम लोग तैयार हो गये। हम लोगों में अजीब हिम्मत आ गयी। जहाज के बीच के भाग में सीढ़ी पर होकर जैसे ही हम लोग ऊपर जाने की तैयारी करने को हुए, वैसे ही ऊपर का दरवाजा बन्द हो गया और जहाज नीचे उतरने लगा।

हम लोग निराश हो गये। "कुछ नहीं हो सकता है। अब नाटिलस उस जहाज को नष्ट करके ही रहेगा। इस विचार से मैं स्तम्भित हो गया। मैं अब केवल एक झटके की प्रतीक्षा करने लगा।

जहाज तीव्र गति से जा रहा था। एकाएक एक छोटा-सा झटका लगा। एक आवाज पानी में होकर हम लोगों के जहाज में सुनाई पड़ी। मैं दौड़ता-दौड़ता दीवानखाने में गया। बगल की खिड़की खुली थी। कैप्टेन नेमो भी वहीं खड़ा था।

मैंने खिड़की में क्या देखा? वह भारी लड़ाकू जहाज धीरे-धीरे नीचे बैठ रहा था। नाटिलस भी साथ ही नीचे उतर रहा था। उस जहाज के नीचे के भाग में हुए सूराख से पानी उसमें भर रहा था।

उसके यात्री इधर-उधर तड़प रहे थे। कोई कठघरे को, कोई मस्तूल को, कोई पाल को, जिसके हाथ में जो भी आ गया पकड़े था। कोई एक दूसरे से चिपटा हुआ था। सबके मुँह पर वेदना के भाव चित्रित थे।

मैं रोमांचित हो उठा। स्तब्ध चित्त से और स्थिर दृष्टि से मैं उसे देखता रहा। जहाज नीचे बैठ गया। मस्तूल की चोटी तक चढ़े हुए आदमी भी डूब गये। कोई न बचा। कुछ देर में सब नीचे पहुँच गया।

मैं कैप्टेन नेमो की ओर घूमा। वह अब भी पानी की ओर देख रहा था। कुछ देर में वह अपने कमरे में गया। मैं भी कुछ देर तक उसके पीछे-पीछे गया।

कमरे के एक किनारे एक चित्र था। उसमें एक नौजवान स्त्री एवं दो बच्चे चित्रित थे। कैप्टेन नेमो उस चित्र के पास अपने हाथ फैलाकर सिसकियाँ लेकर रो रहा था।

32

मैं उस दृश्य को ज्यादा देर देख न सका। हम लोगों का जहाज भी आगे बढ़ रहा था। परन्तु अब वह घण्टे में 25 मील की गति से उत्तर की ओर दौड़ रहा था। मुझे कल्पना भी न थी कि हम लोग कहाँ जा रहे होंगे। शायद कैप्टन नेमो भी न जानता होगा।

पन्द्रह-बीस दिन इसी प्रकार बीत गये। इसी बीच जहाज का एक भी व्यक्ति, या कैप्टन नेमो दिखाई भी न पड़ा था।

एक दिन, मुझे तारीख याद नहीं है—मैं आधी नींद में था कि नेडलैण्ड ने आकर मुझे जगाया। और कान में धीरे से कहने लगा—"आज हम लोगों को यहाँ से भाग जाना है।"

"कब?"

"रात में! जहाज पर इस समय देखनेवाला कोई नहीं है।"

"परन्तु हम लोग किस जगह पर हैं?"

"यह कौन जानता है? परन्तु इससे मतलब?"

"ठीक! यह तय रहा कि आज रात को भाग जाना है। चाहे बाहर तैरें या डूबें।"

"समुद्र तूफानी है। हवा भी जोरों से चल रही है, परन्तु इस जहाज की मजबूत नाव से बीस मील की यात्रा करना कोई कठिन कार्य नहीं है। और मैंने उस नाव में छिपाकर कुछ पीने का पानी एवं खाने की वस्तुएँ रख ली हैं।"

"बस ठीक है।" मैंने उत्साह से कहा, "और यदि मैं पकड़ा गया तो मरना स्वीकार है परन्तु उसकी कैद में फिर वापस आना स्वीकार नहीं।"

"हम लोग सब साथ मरेंगे।"

मैंने मन में निश्चय कर लिया था। उठा और सीधे जहाज के ऊपर के भाग में गया। परन्तु वहाँ पर समुद्र की भारी तरंगों के सामने खड़ा नहीं रहा जा सकता था। ऐसे तूफान से भाग जाने में काफी खतरा था, यह विचार उस समय मुझे न आया। मैं कैप्टेन नेमो से भी मिलना चाहता था, "परन्तु क्या उसके भयानक चेहरे के सामने मैं स्वस्थ खड़ा रह सकूँगा? नहीं-नहीं, उसे आमने-सामने नहीं मिल सकता। उसे भूल जाऊँगा परन्तु...।

आज के जैसा लम्बा दिन मुझे कभी न लगा। मैं अकेला था। कोई शक

न करे इस डर से उस दिन हम तीनों एक साथ न रहे।

फिर शाम को साढ़े छः बजे नेड मेरे पास मेरे कमरे में आया। उसने कहा, "अब हम लोग भागने के समय तक नहीं मिल सकेंगे। ठीक दस बजे नाव निकालने की जगह पर पहुँच जाइएगा।" नेड चला गया। उसने मेरे उत्तर की प्रतीक्षा भी न की।

मैंने दीवानखाने में जाकर देखा कि हमारा जहाज नैऋत्य कोण में समुद्र की सतह से 25 फैदम नीचे खूब तेजी से जा रहा था।

मैंने अपने गोताखोरी के कपड़े पहन लिये। अपनी डायरी भी ले ली। हृदय जोरों से धक-धक कर रहा था। उसे किसी प्रकार भी शान्त नहीं किया जा सकता था। ऐसी परिस्थिति में मैं कैप्टेन नेमो से कैसे मिल सकता था?

कैप्टेन नेमो इस समय क्या कर रहा होगा? मैंने उसके कमरे की दीवार से कान लगाया। अन्दर भारी पैर चल रहे थे। "क्या वह अब तक जग रहा है? कहीं उसे शक तो नहीं हो गया है?"

"उसके कमरे में जाकर उससे मिलना चाहिए" मेरे मन में एक विचार आया। "नहीं-नहीं, यह तो आवेश है। ऐसा कैसे कर सकता हूँ?"

मैं थक कर लेट गया। लैटने से कुछ आराम मिला। परन्तु मुझे लग रहा था कि मेरी नाड़ियाँ टूट रही हैं। मेरे सामने इस जहाज पर का समूचा इतिहास आ गया। जहाज की एक-एक घटना के साथ कैप्टेन नेमो भी मेरी नजर के आगे खड़ा हो जाता था। धीरे-धीरे वह मुझे काफी बड़ा लगने लगा। अब मैं मनुष्य की अपेक्षा उसे कोई महान् समुद्री सम्राट् समझने लगा।"

साढ़े नौ बज गये। मुझे लगा कि मेरा सिर फट रहा है। दोनों हाथों से उसे पकड़ बिस्तर में दाब कर मैं पड़ा रहा। अब कुछ भी नहीं सोचूँगा यह तय किया। केवल आधा घण्टा बाकी रह गया है और अभी आधे घण्टे और सोचूँगा तो पागल हो जाऊँगा।

उसी समय मेरे कानों में दूर से आते हुए अर्गन के स्वर सुनाई पड़े। कितनी करुण थी वह आवाज! मानों दुनिया से भाग जाना चाहती हुई किसी आत्मा की चीखें हों।

कुछ देर के लिये मैं इन सुरों में खो गया।

तुरन्त ही मुझे एक विचार आया। "जहाज में नाव बाँधी जाती है वहाँ जाने के लिये इसी दीवानखाने से होकर जाना होगा।" अब क्या होगा? यह मुझे देखेगा, शायद पूछेगा भी और यदि वह जान गया होगा तो?"

दस बजने जा रहे थे। मुझे जाना चाहिए था। मैं उठा। बहुत धीरे से दरवाजा खोला। फिर भी मुझे लगा कि जोरों से धमाका हुआ है। परन्तु वह केवल मेरी कल्पना ही थी। मैं धीरे-धीरे दीवानखाने तक पहुँचा। वहाँ अँधेरा था। कैप्टेन नेमो अभी अँधेरे में अर्गन बजा रहा था। मैं उसे देख न सका। वह अर्गन बजाने में इतना व्यस्त था कि शायद कमरे में रोशनी होती तब भी मुझे देख न सकता।

मैं दबे पैर से दीवानखाने के बाहर निकल गया। वहाँ से बाहर निकलने में मुझे पाँच मिनट लगे होंगे। दीवानखाने का सामने वाला दरवाजा खोला। इतने में पीछे से कैप्टेन नेमो की गहरी साँस सुनाई पड़ी। मैंने उसे देखा क्योंकि बगल के पुस्तकालय के कमरे से कुछ प्रकाश आ रहा था। वह हाथ पर हाथ रखकर धीमे कदमों से मेरी ओर आ रहा था। "क्या वह खुद आ रहा था या उसका भूत था?" धीरे-धीरे उसकी सिसकियाँ मेरे कानों में पड़ीं, "ओ प्रभु! बस! अब बहुत हुआ! बहुत हुआ!"

मैं जान बचाकर पुस्तकालय में घुस गया। वहाँ से सीढ़ी के ऊपर होकर नाव बाँधने के पिंजड़े तक का रास्ता मेरे दोस्तों ने खुला रखा था।

"चलिये जल्दी कीजिए", मैं बोल उठा।

"हम लोग तैयार हैं।"

"नाव के पिंजड़े में जाने का रास्ता बन्द कर लिया गया और नाव को पिंजड़े से बाहर निकालने के रास्ते के पेंच खोल दिये गये। नेड नाव को छोड़ने लगा। इतने में अन्दर से भारी कोलाहल सुनाई पड़ा।

"लगता है, अन्दर लोगों को पता लग गया है।"

नेड ने अँधेरे में मेरे हाथ में खञ्जर थमा दिया और नाव को छोड़ने का काम स्थगित कर दिया।

"मालस्ट्रोम!* मालस्ट्रोम!" अन्दर से आवाज आयी।

अब? जिस समय हम लोगों की नाव छूटने वाली थी, ठीक उसी समय नाटिलस नार्वे के किनारे के पास के भयंकर समुद्री भँवरों में फँस गयी। इस भँवर में फँस कर शायद ही कोई नाव बच पाती है। कैप्टेन नेमो ने जान-बूझकर या अनजाने में अपने जहाज को इस भयानक स्थान में डाल दिया था। समूचा जहाज गोल चक्कर लगा रहा था। मुझे चक्कर आने लगे।

जहाज भी इस भँवर से छूटने का कम प्रयत्न नहीं कर रहा था। पर इस युद्ध में उसके जोड़ ढीले पड़ने लगे।

"अब, जब तक इस भँवर से जहाज बाहर न निकले तब तक नाव को छोड़ने

में खतरा है। अब हमें नाव अभी नहीं छोड़नी चाहिए।"

"शायद अब तो इस जहाज से चिपके रहने में ही..." मेरा वाक्य पूरा हो, उसके पहले ही एक धमाका हुआ और जहाज के साथ जुड़े हुए नाव के पेंच टूट गये।

धनुष से छूटे हुए तीर की तरह हमारी नाव उस भँवर से छूटी। धक्का इतनी जोर से लगा कि मेरा सिर जोरों से नाव के लोहे के तख्ते के साथ टकराया। मैं बेहोश हो गया।

33

हम लोगों की यह विचित्र यात्रा पूरी हुई। रात में क्या हुआ, मुझे नहीं मालूम। हम लोग भँवर से किस प्रकार छूटे, यह भी मैं नहीं जानता। परन्तु जब मैं होश में आया तब एक मछुए के झोपड़े में लेटा हुआ था। मेरे दोनों मित्र दोनों ओर बैठकर मेरे दोनों हाथ दबा रहे थे। मैं उनसे लिपट गया।

हम लोग लोफोडेन के द्वीप पर थे। फ्रांस जाने के लिये महीने में दो बार स्टीमर यहाँ से गुजरता है। उस स्टीमर के आने तक हमें रुक जाना पड़ा।

× × ×

मेरी कथा यहाँ पर समाप्त हो रही है। यह वृत्तान्त बिल्कुल सच्चा है। उसकी एक भी बात मैं भूला नहीं हूँ। न एक भी बात मैंने छोड़ी है। समुद्र

---

* समुद्री भँवर।

के गर्भ की अपार समृद्धि का जो भाग मैंने देखा उसका ही यह वर्णन है।

शायद आप इसे सच न मानें? न भी मानें तो कोई हर्ज नहीं है। परन्तु मैं इतना कहूँगा कि लगभग दस महीनों में समुद्र के अन्दर मैं 60000 मील घूमा हूँ और इसीलिये मुझे अधिकार है कि मैं इस विषय पर कुछ लिखूँ।

× × ×

शायद आप पूछेंगे, नाटिलस का क्या हुआ? क्या वह भँवर में समाप्त हो गया? कैप्टेन नेमो अभी जिन्दा है? कैप्टेन नेमो द्वारा लिखी आत्मकथा दुनिया में किसी के हाथ लगेगी? कैप्टेन नेमो किस देश का निवासी था? यह सब मैं क्या जानूँ। परन्तु आशा है कि दुनिया उसे फिर कभी जानेगी। मुझे अब भी आशा

है कि कैप्टेन नेमो इस भँवर से अपने जहाज को बचाकर समुद्र की अगाध गहराई में अब भी घूम रहा होगा और अपने विशाल साम्राज्य पर शासन कर रहा होगा। वह जितना ही अगम्य तथा रहस्यमय है उतना ही भव्य है। जितना ही क्रूर है उतना ही मृदु है। मानो वह महासागरों का कोई भव्य सम्राट् हो।

☆☆☆